生物、化学、物理、地学

まるごと理科

身のまわりの現象がわかる！
手軽に学びなおしもできる！

F=ma

はじめに

自然科学系の学科のことを「理科」といいます。多くの人は，中学校や高校で，「生物」「化学」「物理」「地学」の，四つの分野を学んだのではないでしょうか。

中学校や高校で理科を学ぶのには，理由があります。それは，理科の知識を「教養」として身につけることで，自然界のさまざまなしくみやルールがわかるようになるからです。そして，単に知識がふえるだけではなく，物事を科学的に考えられるようになります。SNS やインターネット上の情報を簡単に信じこまず，疑問に感じたことをきちんと調べ，検証するくせを早いうちにつけておくと，その後の人生にきっと役立つでしょう。

さらに，理科は最先端の科学の基礎にもなります。中高で学習する理科の知識を正しく身につけることで，世の中の見え方が変わってくることでしょう。

この本は，中学校と高校で学ぶ理科の重要項目を，1 冊に凝縮したものです。1 章で「生物」，2 章で「化学」，3 章で「物理」，4 章で「地学」を紹介していますが，どの章から読んでも大丈夫！　好きなところから読み進め，大いに楽しんでください。

それでは，興味深い「理科の世界」のはじまりです。

2 物のなりたちと性質を解き明かす「化学」

3 自然界の背景にある法則をさぐる「物理」

4 地球や宇宙のダイナミックな変動「地学」

プロローグ

身近なニュースには，「理科」がいっぱい！

私たちは日々，さまざまなニュースを見聞きします。その中には，中学・高校で学ぶ「理科」が関係しているものもたくさんあります。

たとえば，新型コロナウイルスが大流行したときに何度も耳にした「抗体」や「免疫」などは，「生物」が関係しています。また，プラスチックごみによる海洋汚染のニュースがたびたび流れます。プラスチックは「化学」の産物です。化学の知識があると，「何」が「どう」問題なのかがわかります。さらに，地球温暖化による異常気象には「地学」が，宇宙に関するニュースには「地学」や「物理」などがかかわってきます。

理科を学ぶと，身のまわりの現象がよくわかるようになります。そして，物事に対して筋道を立てて考えることにも役立ちます。理科の知識が身につくと，証拠にもとづいて物事を正しく判断できる力，いわゆる「科学リテラシー」を身につけることができるのです。

そして，何より理科は面白いのです。「なぜ雨は降るのか」「生命のしくみはどんなものか」といったことを知るのは純粋に楽しく，私たちにおどろきをあたえてくれます。

それではさっそく，理科の世界に飛びこんでいきましょう！

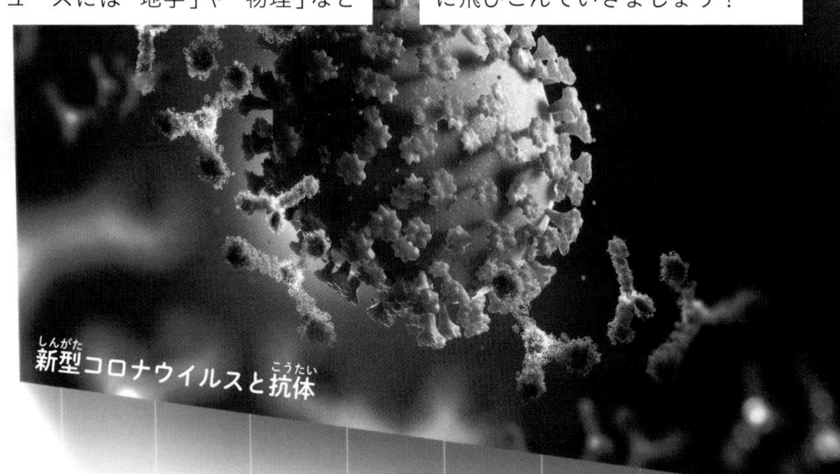

新型コロナウイルスと抗体

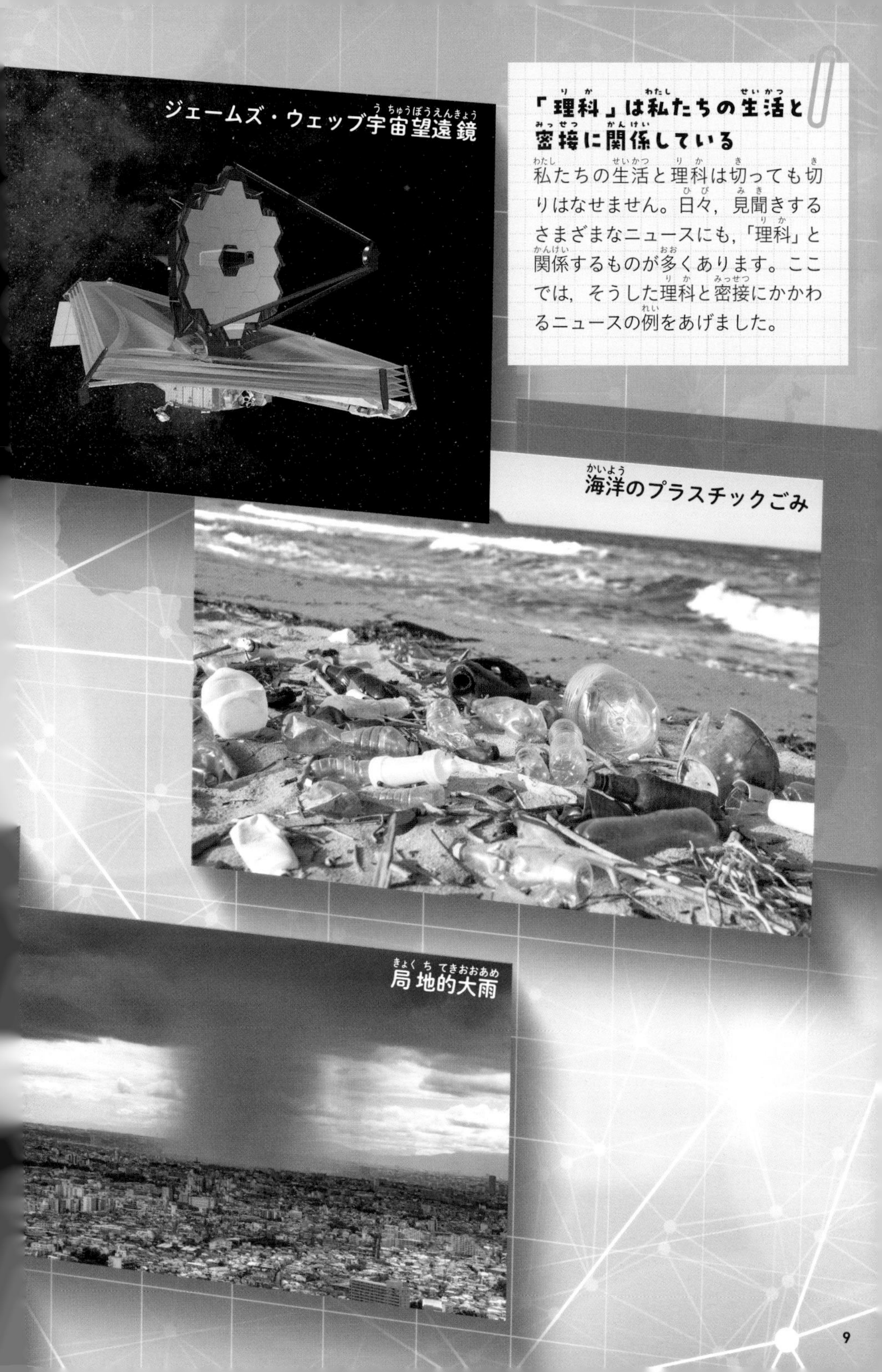

「理科」は私たちの生活と密接に関係している

私たちの生活と理科は切っても切りはなせません。日々，見聞きするさまざまなニュースにも，「理科」と関係するものが多くあります。ここでは，そうした理科と密接にかかわるニュースの例をあげました。

1

生き物の共通点と多様性をさぐる「生物」

地球は，生命の惑星です。海の底から陸上，大空に至るまで，さまざまな生き物であふれています。そうした生き物たちを調べ，生命のしくみを探究する学問が，「生物学」です。1章では，生物についてみていきましょう。

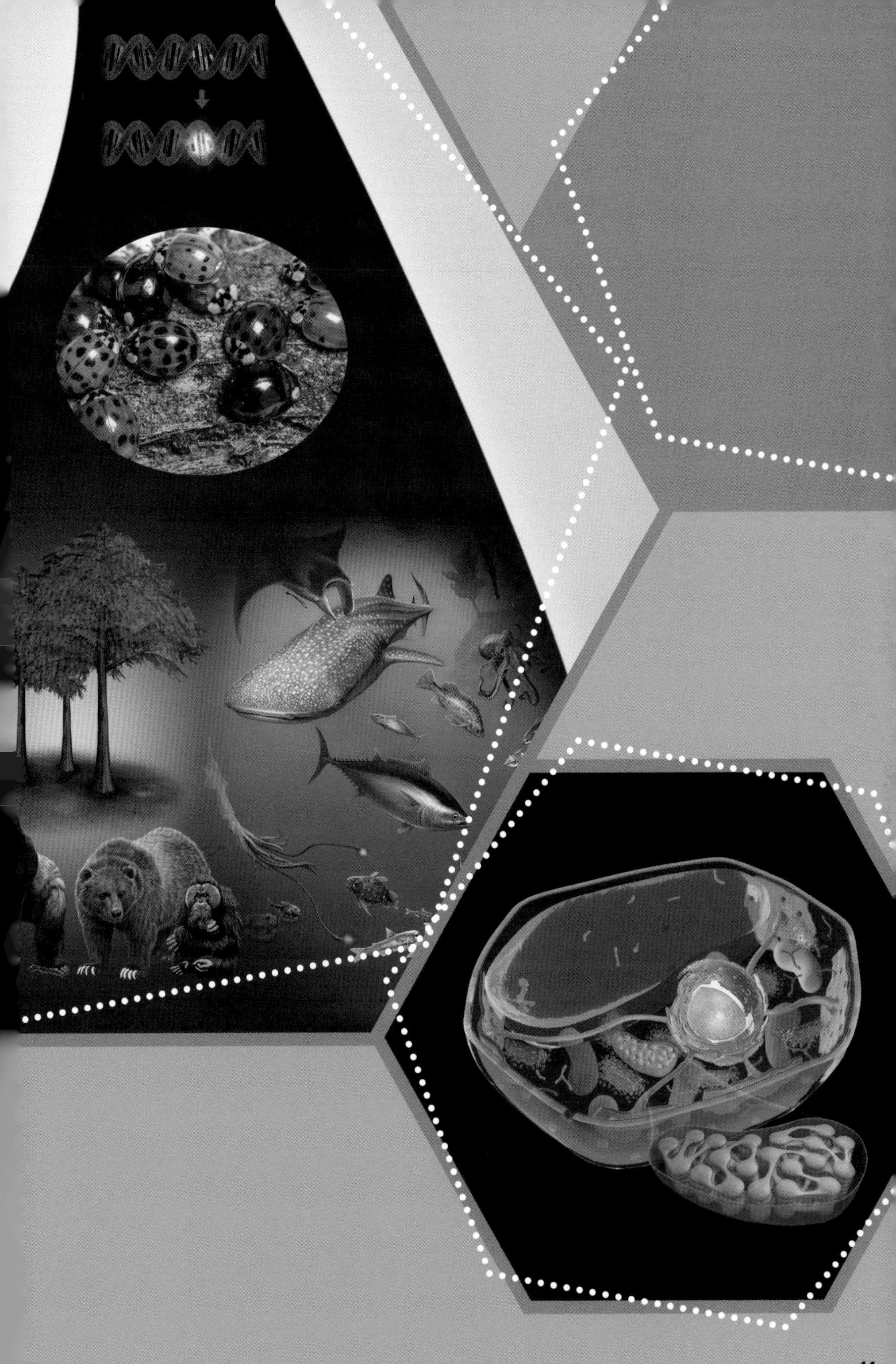

生き物の共通点と多様性をさぐる「生物」

中高の「生物」では、こんな内容を学ぶ

中学理科および高校「生物基礎」で学ぶ主な知識

- 生物の観察と分類の仕方
- 生物と細胞
- 生物の多様性と進化
- 生物の成長とふえ方
- 生物の共通性と多様性
- 生物とエネルギー

高校「生物」の単元

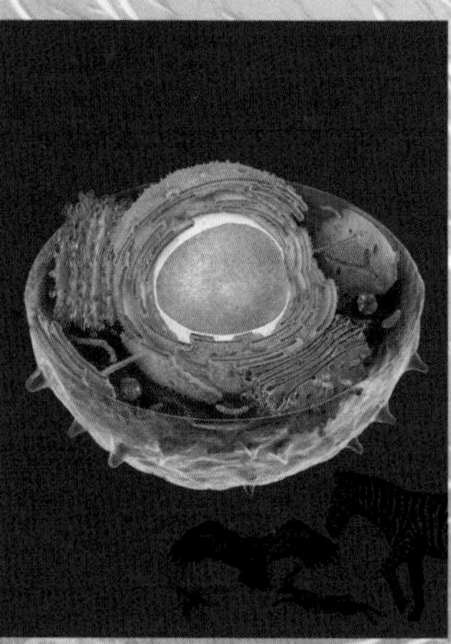

生物の進化

- 生命の起源と細胞の進化
- 遺伝子の変化と進化のしくみ
- 生物の系統と進化

生命現象と物質

- 細胞と分子
- 代謝

生物は，細菌からヒトに至るまで，この地球で暮らす生物がもつ共通点と多様性を探究する分野です。

下に示したのは，高校の生物で学ぶ内容です。その土台となる知識は，中学の理科（第2分野）とそれを発展させた高校の「生物基礎」で，主に学習します。

高校の生物は，進化や生態系などの生物界全体から，分子のはたらきで考える生命現象，動物や植物の個体まで，幅広く学ぶ構成となっています。観察や実験などを通じて，生物の基本的な概念や原理，法則を理解し，探究する能力を身につけます。

遺伝の規則性と遺伝子	植物の体と動物の体	生物と環境
遺伝情報とDNA	神経系と内分泌系	植生と遷移
遺伝情報とタンパク質	免疫	生態系とその保全

遺伝情報の発現と発生

- 遺伝情報とその発現
- 発生と遺伝子発現
- 遺伝子をあつかう技術

生物の環境応答

- 動物の反応と行動
- 植物の環境応答

生態と環境

- 個体群と生物群集
- 生態系

注：2022年4月開始の学習指導要領にもとづく。

すべての生き物が「細胞」でできている！

すべての生物は，「細胞」でできています。細胞は，1～100マイクロメートル※1程度の非常に小さな構造物で，「細胞膜」とよばれる脂質の膜で包まれています。

動物の細胞内には，「細胞核」「小胞体」「ゴルジ体」「リソソーム」「ミトコンドリア」などの構造物（小器官）があります。植物の細胞（次ページ）には，動物の細胞がもつ構造に加えて，「葉緑体」「液胞」「細胞壁」などがあります。細胞核をもつ細胞は，「真核細胞」とよばれます。

ヒトのように，たくさんの細胞が集まって一つの個体をつくっている生物を「多細胞生物」といいます。一方，ゾウリムシのように，1個の細胞だけからなる生物を「単細胞生物」といいます。単細胞生物の一つである細菌の細胞は，細胞内の小器官をもちません。そのような細胞は，「原核細胞」とよばれます。

※1：マイクロ（μ）は極小の世界の長さを示す単位。1μm＝10^{-6}m。

DNA※2

遺伝情報をもった，長い鎖状の分子。細胞はこのDNAの情報をもとに，さまざまなタンパク質をつくりだします。

ゴルジ体

小胞体で合成されたタンパク質を受け取り，そのタンパク質を濃縮したり仕分けたりして，細胞内や細胞外へ届けるはたらきをします。

ミトコンドリア

生命活動に必要なエネルギー源となる「ATP」という分子をつくりだす小器官。

細胞膜

細胞の内部と外部を仕切る膜。「脂質」とよばれる物質でできています。

※2：deoxyribonucleic acidの略称。その生物の遺伝情報を構成する“設計図”のような物質。

細胞核

DNAがおさめられている小器官。

小胞体

細胞核を取り囲むように存在する層状の小器官。小胞体に付着したリボソームによって合成されたタンパク質や，カルシウムイオンなどが含まれます。

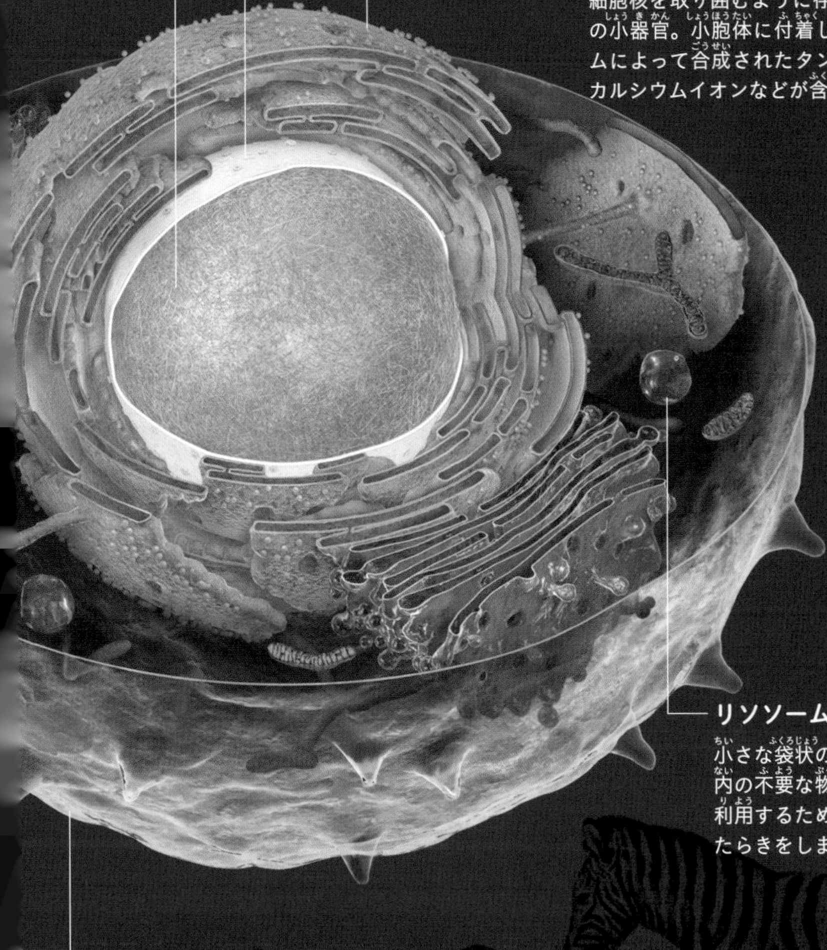

リソソーム

小さな袋状の小器官。細胞内の不要な物質を集め，再利用するために分解するはたらきをします。

動物の細胞

一般的な動物の細胞をえがきました。植物の細胞については，次のページで紹介します。

植物は，「光合成」をして栄養をつくる

光合成を行う葉緑体

植物の細胞と，葉緑体をえがきました。葉緑体の中の「チラコイド」が光を浴びると，光をエネルギー源として，二酸化炭素と水から糖と酸素が合成されます。

植物の葉や茎には「気孔」という小さな穴があり，細胞には「葉緑体」という緑色の小さな粒があります。

葉緑体は「光合成」を行う細胞小器官です。植物は，気孔から取りこんだ二酸化炭素と，根から取りこんだ水を，葉緑体に運びます。そして太陽光のエネルギーを利用して，二酸化炭素と水から栄養分である糖を生産し，酸素を排出します。

気孔では，植物内の水分が水蒸気になって放出される，「蒸散」という現象もおきます。多くの植物は，昼間に気孔を開いて二酸化炭素を取りこみます。しかしサボテンなどの一部の植物は，水分の損失を防ぐために，夜間に気孔を開いて二酸化炭素を取りこみます。

また，**植物は，種子を実らせる「種子植物」と，胞子をつくる「胞子植物」に二分されます。**

細胞膜

細胞壁

細胞膜の外側にかたい細胞壁があり，植物の体を支える役割をにないます。

種子植物のうち，種子になる前の器官である「胚珠」がむきだしのものを「裸子植物」，胚珠が内部にかくされているものを「被子植物」といいます。一方，胞子植物には，シダ植物やコケ植物などが含まれます。

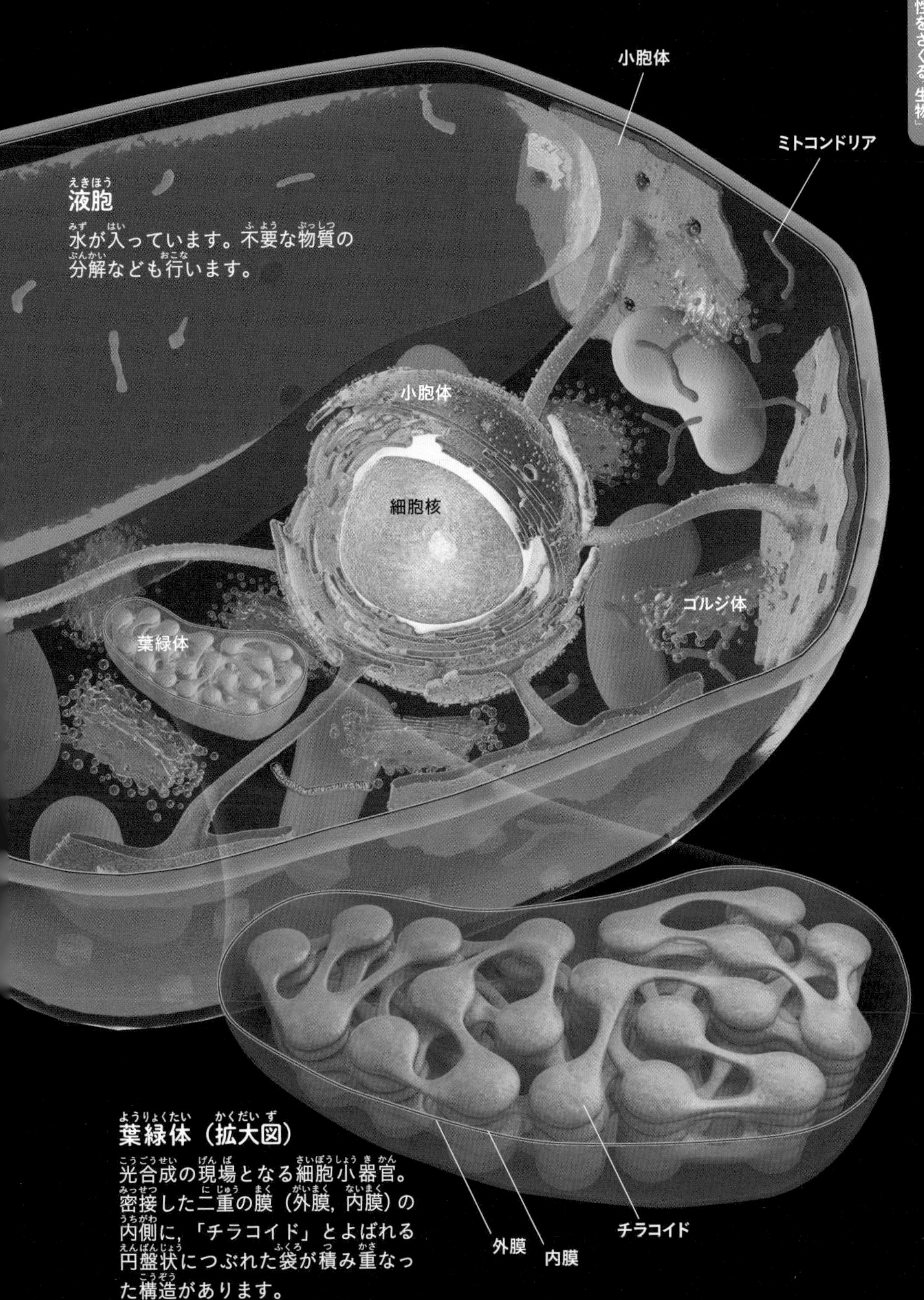
小胞体
ミトコンドリア
液胞
水が入っています。不要な物質の分解なども行います。
小胞体
細胞核
ゴルジ体
葉緑体
葉緑体（拡大図）
光合成の現場となる細胞小器官。密接した二重の膜（外膜，内膜）の内側に，「チラコイド」とよばれる円盤状につぶれた袋が積み重なった構造があります。
外膜
内膜
チラコイド

細胞はDNAをもとに，さまざまなタンパク質をつくる

セントラルドグマ

DNAがもつ遺伝情報が，mRNAにコピーされ，それをもとにタンパク質がつくられるまでのしくみをえがきました。DNAは，「アデニン(A)」「チミン(T)」「グアニン(G)」「シトシン(C)」という4種類の塩基をもっています。

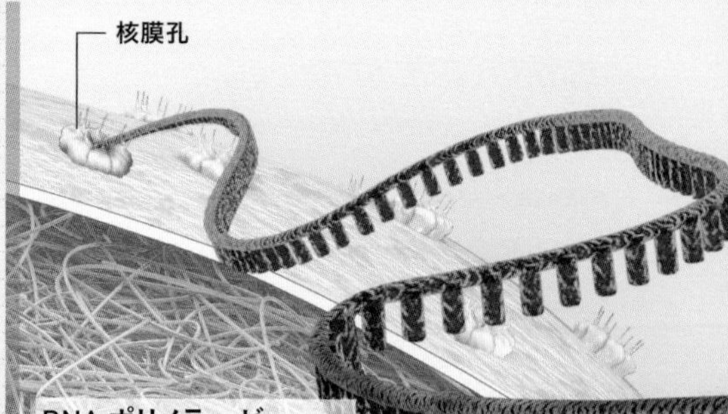

RNA ポリメラーゼ
DNAの塩基配列を読み取って，そのコピーであるmRNAをつくるタンパク質。

1. 転写

DNAの二重らせんがほどかれて，その塩基配列をmRNAにコピーします。DNAのA，T，G，Cの塩基は，それぞれRNAのウラシル(U)，A，C，Gという情報に変換されます。

mRNA
mRNAは，DNAの遺伝情報をコピーして細胞核の外にもちだす役割をにないます。

細胞の最も重要なはたらきは，DNAの遺伝情報をもとに，さまざまな種類の「タンパク質」をつくることです。タンパク質の種類は，20種類のアミノ酸がどのような順番でつながるかで決まります。DNAには，それぞれのタンパク質のアミノ酸の順番の情報が，遺伝情報として記録されています。

DNAの遺伝情報は，4種類の「塩基」の配列で記録されています。DNAの塩基配列は，「メッセンジャーRNA※（mRNA）」という分子にコピーされます。この過程を，「転写」といいます。そしてmRNAにコピーされた塩基配列は，リボソームでアミノ酸に置きかえられます。この過程を，「翻訳」といいます。

このように遺伝情報が，DNAからRNA，タンパク質へと一方向に伝達されていく原理を，「セントラルドグマ」といいます。

※：ribonucleic acidの略称。RNAはいくつかの役割に分かれ，mRNAは細胞にタンパク質をつくらせる“指示書”のような物質。

2. 翻訳

mRNAの塩基配列をもとに，アミノ酸がつながっていき，タンパク質がつくられます。

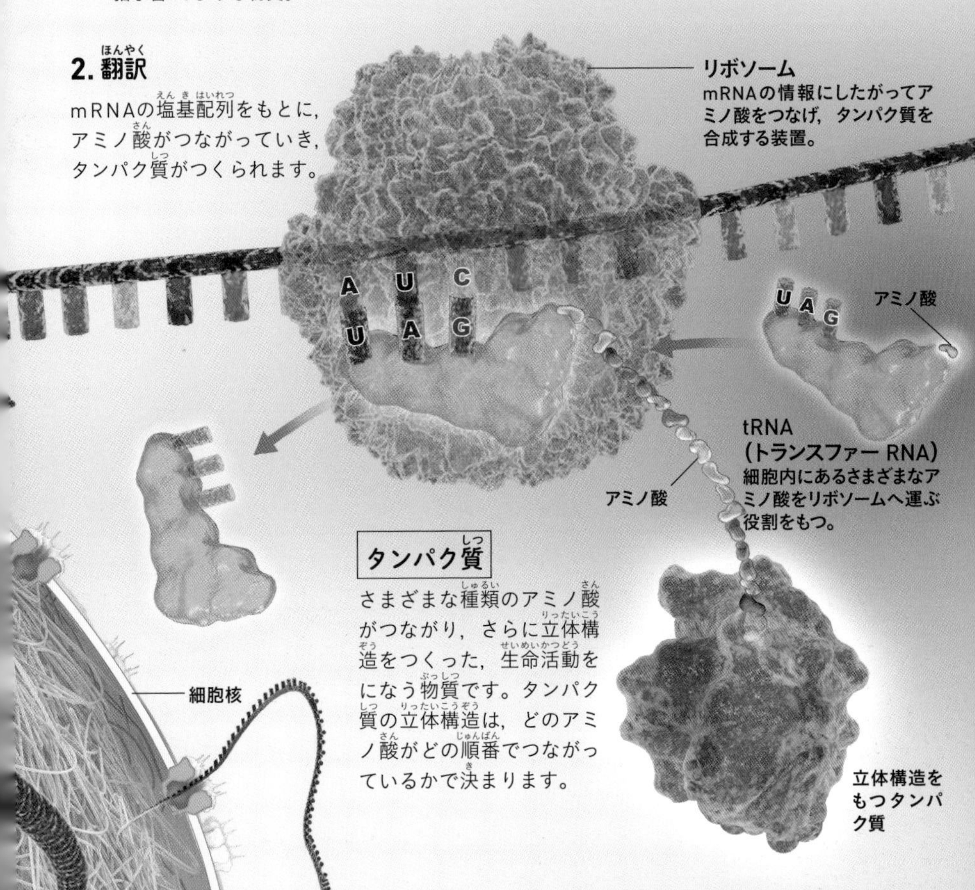

タンパク質

さまざまな種類のアミノ酸がつながり，さらに立体構造をつくった，生命活動をになう物質です。タンパク質の立体構造は，どのアミノ酸がどの順番でつながっているかで決まります。

コロナ禍に大活躍した「分子生物学」

分子生物学とは，さまざまな生命現象のしくみを，「DNA」や「タンパク質」をはじめとする分子のレベルで解明する，生物学の分野です。

新型コロナウイルスが大流行したとき，ウイルス感染の有無を唾液で調べる「PCR※法」という検査を行った人も多いでしょう。このPCRという言葉も，そもそもは分子生物学の専門用語でした。

PCRとは，特定のDNAだけをふやす技術です。新型コロナウイルス感染症にかかった患者の唾液や粘膜には，新型コロナウイルス由来のRNAが含まれています。しかし，RNAの含有量は微量でそのままでは検出できないため，RNAをDNAに変換し，そのDNAをPCR法でふやします。その結果，「DNAがふえれば陽性，ふえなければ陰性」と判定できるのです。

また，**2023年のノーベル生理学・医学賞は，新型コロナウイルス感染症に効果的な「mRNAワクチン」の開発に貢献した，2名の研究者に贈られました。**新型コロナウイルスのmRNAワクチンには，新型コロナウイルスがもつ「スパイクタンパク質」の情報が書きこまれたmRNAが含まれています。ワクチンが細胞に取りこまれると，mRNAに書きこまれた指示にしたがって，体内ではスパイクタンパク質がつくられます。すると，スパイクタンパク質を“異物”とみなした免疫細胞（38ページ）たちが活性化し，ウイルスに対する免疫を獲得できるのです。

DNAやRNAを使った医薬品を「核酸医薬品」といいます。核酸医薬品の研究は，30年ほど前から積み重ねられてきました。mRNAワクチンは，コロナ禍にわずか1年ほどで開発されたように思われがちですが，実はその背景には，長年にわたる分子生物学の研究があるのです。

※：Polymerase Chain Reaction（ポリメラーゼ連鎖反応）の略称。ポリメラーゼとは，DNAやRNAを合成する酵素のこと。

mRNAワクチンの構造

新型コロナウイルスのmRNAワクチンの構造を示した図です。mRNAが脂質膜に包まれた構造をしています。粒子の表面にはPEG（ポリエチレングリコール）という高分子が存在し，血中での安定性を高めています。

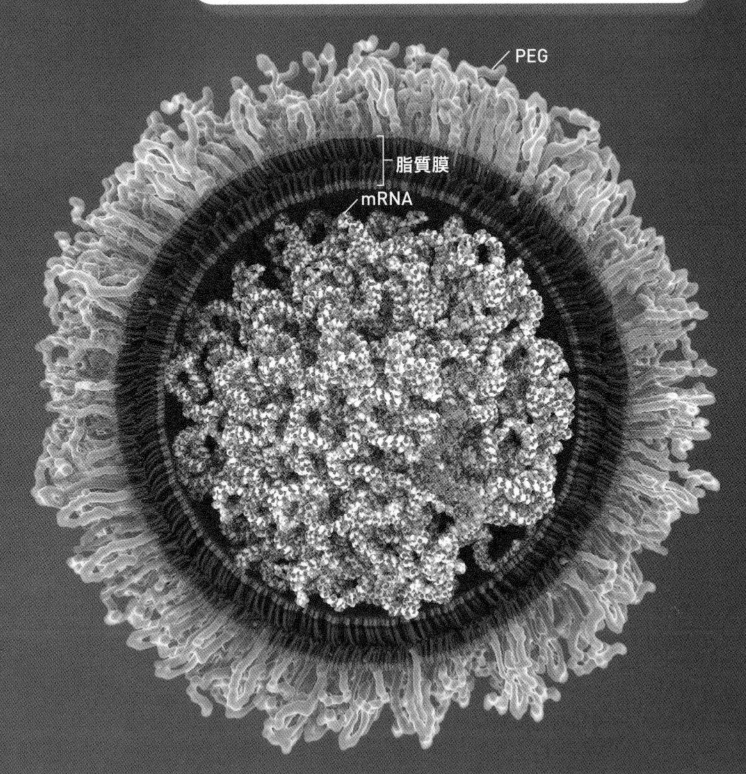

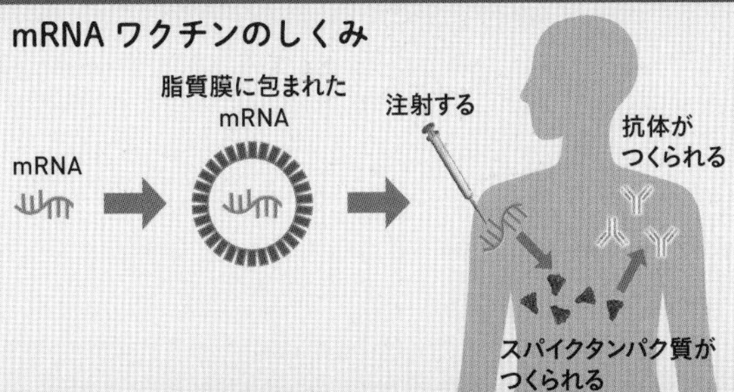

スパイクタンパク質の情報が書きこまれたmRNAを合成し，脂質膜で包んで投与します。すると細胞内でスパイクタンパク質がつくられ，それに対する免疫系が作用して抗体がつくられます。

動物の生殖には，二つのパターンがある

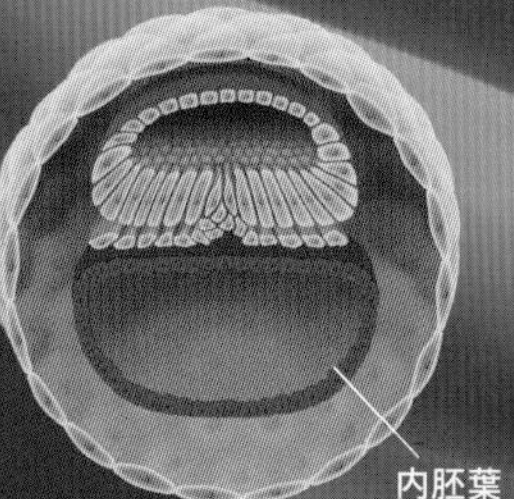

無性生殖では，子は「完全なコピー」

アメーバ（原生生物の一つ）は，細胞分裂によってふえていく，無性生殖の生物です。1個の細胞が2個，2個が4個……と倍々にふえ，細胞の中に含まれる遺伝情報（DNA）などの物質は，同じものが複製されたうえで，分裂後の細胞に分配されます。

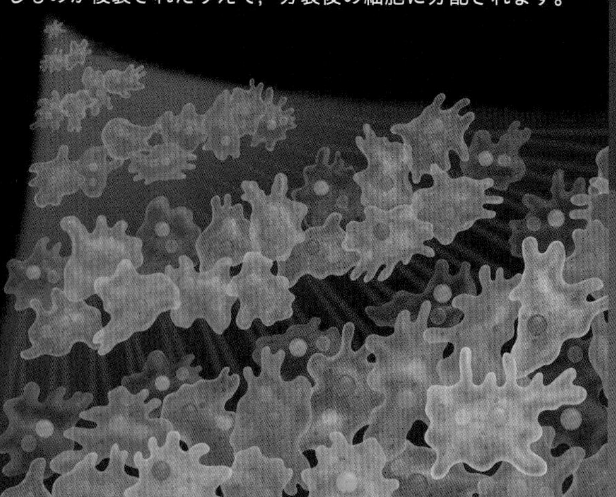

動物の生殖には，「無性生殖」と「有性生殖」があります。

無性生殖は，細胞の分裂や体の一部を分離することで，新しい個体をつくる方法です（左下の囲み）。親と子はまったく同じ遺伝情報をもち，一つの個体のみで生殖できます。

一方，有性生殖は，ことなる性をもつ二つの個体から遺伝情報を受け継ぐことで，新しい個体をつくる方法です。無性生殖とはちがい，子孫は親とことなる遺伝情報をもちます。

有性生殖の個体は，卵と精子が一つになる「受精」によってできる，「受精卵」からはじまります。受精卵が成体になるまでの過程を「発生」といいます。発生初期の受精卵は，分割（卵割）することで，しだいに小さな細胞の集まりになります。そして卵割をくりかえすことで，多数の小さな細胞からなる「胚」になります。胚の細胞はその後，ことなる形やはたらきをもつようになり，成体のさまざまな組織をつくります（下の図）。この過程を，「細胞分化」といいます。

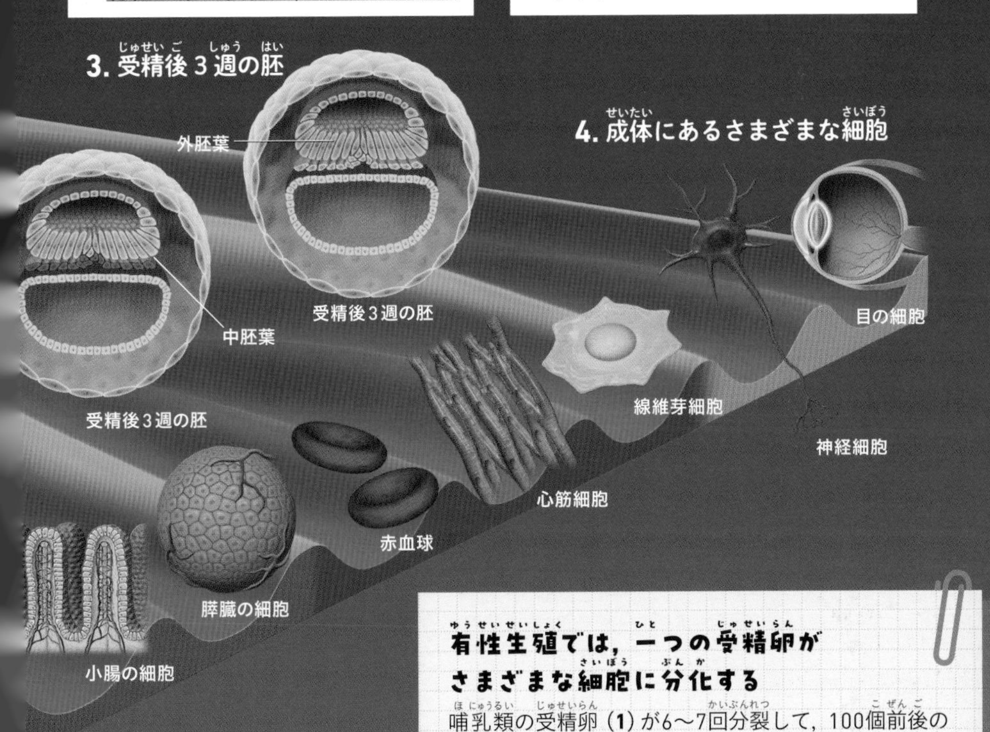

有性生殖では，一つの受精卵がさまざまな細胞に分化する

哺乳類の受精卵（**1**）が6～7回分裂して，100個前後の細胞のかたまりになったものを「胚盤胞」といいます（**2**）。細胞分裂が進み，受精後3週の胚になると，内側の細胞は「外胚葉」「中胚葉」「内胚葉」のいずれかに専門化します（**3**）。さらにそれぞれの胚葉の細胞が専門化してできたものが，成体にある細胞たちです（**4**）。

「遺伝子」は、どのように子孫に伝わるのか

親から子への「遺伝」の現象をはじめて科学的に検証したのは，オーストリアの植物学者グレゴール・メンデル（1822～1884）です。彼は遺伝子の研究に，エンドウの交配を利用しました。

まずは丸い種子（丸形）をつける純系のエンドウと，しわが寄る種子（しわ形）をつける純系のエンドウで交配を行ったところ，丸形の種子だけができました。さらに交配させて2代目をつくると，丸形としわ形が3：1の割合であらわれました。

丸形の遺伝子を「A」，しわ形の遺伝子を「a」とします。遺伝子は両親から一つずつ受け継ぐため，交配に使った最初の純系のエンドウの遺伝子型は，丸形が「AA」，しわ形が「aa」と考えられます。そして，1代目のエンドウの遺伝子型は，すべて「Aa」です。

「A」と「a」を一つずつもっているのに，すべて丸形になったのは，「A」が形質（性質や特徴）を支配したからです。この場合，丸形を「顕性形質」，しわ形を「潜性形質」といいます。これが「顕性の法則」です。

雑種の2代目の場合，両親の遺伝子は「Aa」なので，配偶子※は「A」と「a」が同じ割合でつくられます。**対立する遺伝子が同じ割合で分かれて配偶子に入ることを，「分離の法則」といいます。**

さらにメンデルは，エンドウの「豆の形（丸形・しわ形）」と「豆の色（黄色・緑色）」という二つの形質が，どのように遺伝するのかを研究しました。その結果，形も色も，顕性の法則と分離の法則にしたがっていました。そして，**それぞれの形質の遺伝の仕方は独立し，たがいに干渉し合うことはありませんでした。これを，「独立の法則」とよび，多くの生物種でなりたつことが確認されています。**

※：花粉または卵細胞。自分の遺伝子を子孫に伝える細胞。

メンデルの法則

メンデルが発見した「顕性の法則」「分離の法則」「独立の法則」をまとめて「メンデルの法則」といいます。メンデルの法則は，その後の生物学の発展を支える，生物学史上きわめて重要な発見でした。

エンドウの遺伝子が子孫に伝わるしくみ

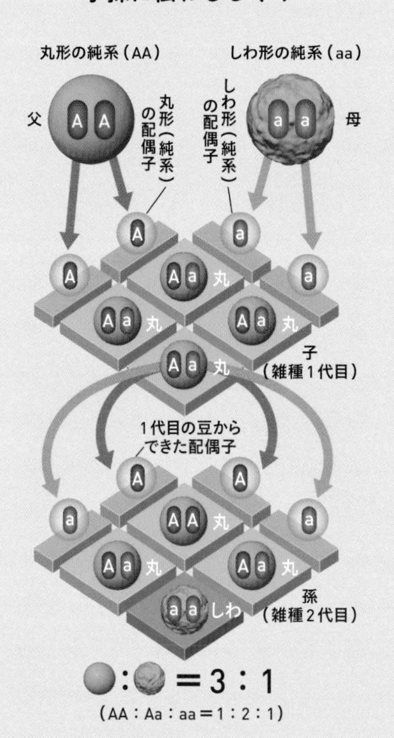

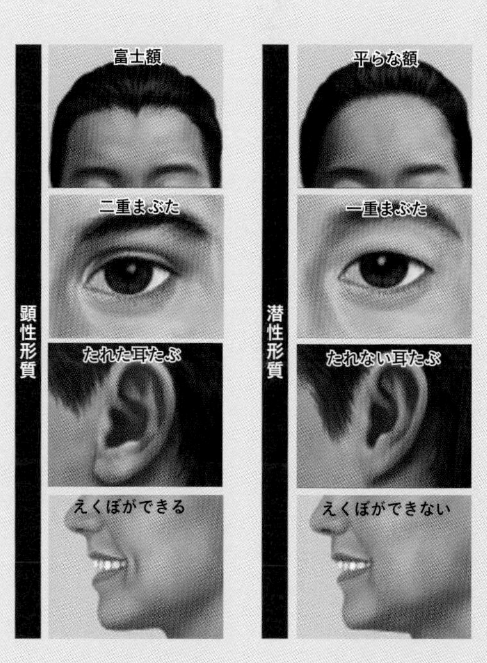

顕性の法則にしたがうヒトの特徴

上に，顕性の法則にしたがうヒトの特徴の主なものを示しました。これらの形質にかかわる遺伝子は，まだ特定されていません。

遺伝子組みかえとゲノム編集

ヒトのDNAは，約32億もの塩基対※におよびます。この全塩基対の順番（塩基配列）の情報を「ゲノム」といいます。ゲノムはまさに生命の「設計図」です。

DNAの塩基配列を自在に改変する技術が，「ゲノム編集」です。ゲノム編集は病気の治療などのほか，品種改良など，農業や畜産分野への応用が期待されています。

現在，ゲノム編集で最も主流の「CRISPR-Cas9」という技術は，DNAのねらった場所を切断する“ハサミ”のような役割を果たします。たとえば，ある遺伝子の機能を失わせたい場合，その遺伝子が書きこまれたDNAを CRISPR-Cas9で切断します（**1**）。すると，細胞内では「切断されたDNAを修復するしくみ」がはたらき，DNAはふたたび結合します。この「切断→修復」をくりかえし行うと，その遺伝子からタンパク質がうまくつくられなくなり，遺伝子の機能が失われるのです。

ゲノム編集と似た技術に，「遺伝子組みかえ」があります。遺伝子組みかえとは，外来遺伝子をゲノムのどこかに挿入することができる技術です。たとえば，「病害虫を殺すタンパク質の遺伝子をトウモロコシに導入し，病害虫に強い品種をつくる」といったことが行われています。

ゲノム編集では，遺伝子の機能を失わせるだけでなく，切断した箇所に外来遺伝子を組みこむこともできます（**2**）。**遺伝子組みかえでは，目的の遺伝子がゲノムのどこに入るかがランダムに決まるという問題がありますが，ゲノム編集では，ねらった場所に遺伝子を挿入することができます。**

ゲノム編集は，DNAを切る"はさみ"

CRISPR-Cas9は，ハサミの役割をもつCas9というタンパク質と，切断場所を指定するgRNA（ガイドRNA）という分子からなります。

※：塩基にはA（アデニン），T（チミン），G（グアニン），C（シトシン）の4種類があり，必ずAとT，GとCが「塩基対」というペアをつくる。

1. ねらった遺伝子を切断する

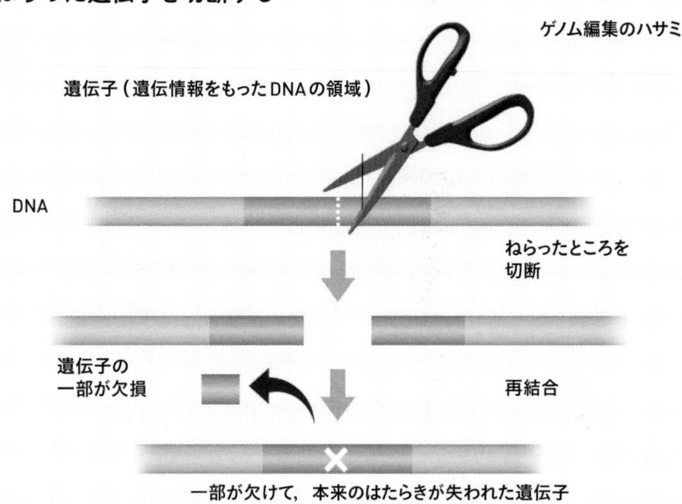

2. 別の遺伝子を挿入する

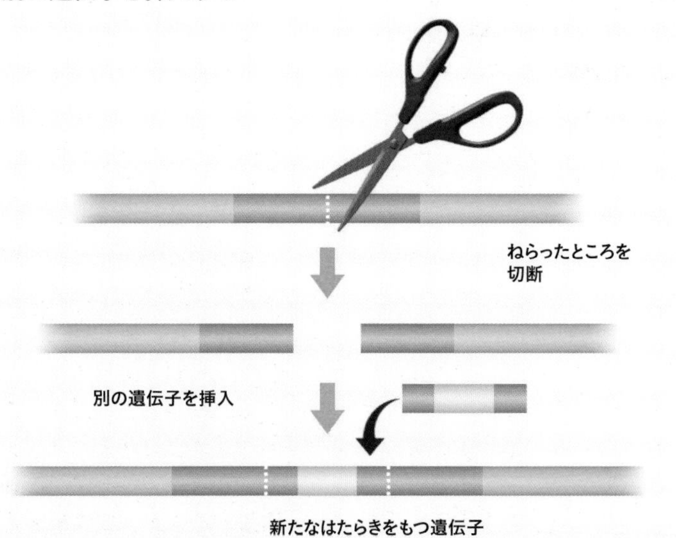

およそ3000万種もの生物を生みだした「進化」のしくみ

地球上には，現在およそ180万種もの生物種が確認されています。未発見の種を含めると，その総数は3000万種ともいわれています。これほど多様な生物が存在するのは，生物が「進化」するからです。**進化とは，生物の姿と形や性質が世代を経るにつれて変化していくことです**。進化がおきる原因の一つは，DNAの遺伝情報の変化です。

細胞が分裂するとき，DNAのコピーがつくられますが，このとき，まれにコピーミスがおきます。また，紫外線や化学物質がDNAを傷つけることがあります。こうしてDNAの塩基配列が変化することを，「変異」といいます。

DNAが変異すると，同じ種の中にことなる特徴をもつ個体ができます。**ある環境ではその環境に適した特徴をもつ個体がより多くの子孫を残し，別の環境ではまた別の特徴をもつ個体がより多くの子孫を残します。この過程を「自然選択」といいます**。

ことなる環境に適応したそれぞれの集団の間では，やがて交配が行われなくなり，別の種へと枝分かれしていくのです。

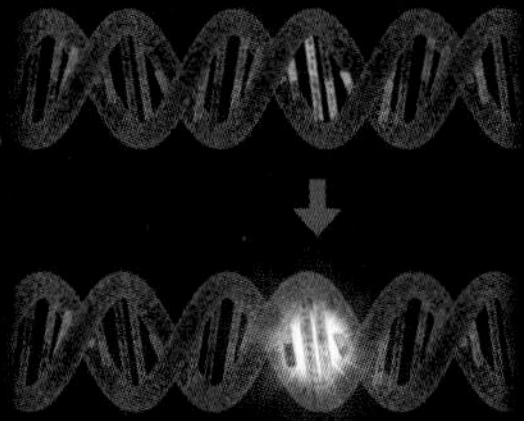

DNAの変異

個体の変化

写真はすべて同種の「ナミテントウ（テントウムシ）」。ナミテントウは，同じ種であっても，個体によって模様にさまざまなちがいがみられます。

生命の変化

DNAに生じた変異は，生物の個体レベルの変化を引きおこします。自然選択によって，環境に適応した個体が多く子孫を残し，やがて別の種へと枝分かれします。

多様な生物

動物は，背骨があるかないかで分類される

背骨のことを「脊椎」といい，ヒトのように背骨をもつ動物を，「脊椎動物」といいます。脊椎動物は，えら呼吸か肺呼吸か，「恒温動物」か「変温動物」か，「卵生」か「胎生」かなどを基準に，五つに分類されます（右上の写真）。恒温動物は，外気温にかかわらず体温がほぼ一定に保たれる動物（鳥類と哺乳類）で，変温動物は外気温に応じて体温が変化する動物（魚類，両生類，爬虫類）です。

一方，背骨をもたない動物を「無脊椎動物」といいます。無脊椎動物には，「節足動物」や「軟体動物」などがいます。節足動物は体や足に節があり外骨格をもつ動物で，昆虫類，甲殻類（エビやカニ），クモ類，多足類（ムカデやヤスデ）が含まれます。軟体動物は骨格がない動物で，頭足類（タコやイカ）などが含まれます。

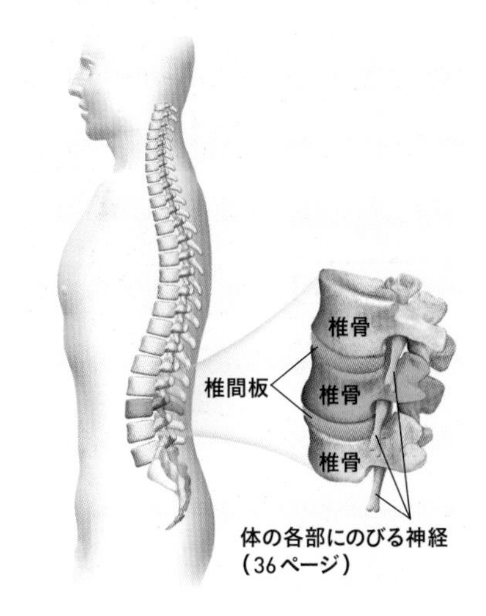

ヒトの脊椎

脊椎は，「椎骨」という骨が積み重なってできています。ヒトの脊椎は，7個の頸椎，12個の胸椎，5個の腰椎，そして仙骨，尾骨からなります。椎骨と椎骨の間には「椎間板」という軟骨があり，クッションの役目をするとともに，背骨に動きをあたえます。

脊椎動物

脊椎動物と無脊椎動物

脊椎動物は，ここに示した5種類に分類されます。無脊椎動物にはほかにも，「刺胞動物（クラゲやイソギンチャク）」や「棘皮動物（ウニやヒトデ）」「環形動物（ミミズやヒル）」など，さまざまなものがいます。

無脊椎動物

生物も環境も，「生態系」というまとまりに属する

地上の生態系での食物連鎖の例

地上の生態系での，食物連鎖の例をえがきました(1〜5)。植物が光合成でつくった有機物は，草食動物や肉食動物の体となり，分解者に無機物に分解されて環境にもどります。

さまざまな生物の集まりと，光や空気，水，土壌などの環境をひっくるめて，「生態系」とよびます。

植物は光合成によって，無機物※である二酸化炭素と水から，有機物※である栄養をつくります。このように，無機物から有機物をつくる生物を「生産者」といいます。また，ほかの生物を食べることで栄養を得る生物を，「消費者」といいます。

植物を草食動物が食べ，草食動物を肉食動物が食べるといった関係を，「食物連鎖」といいます。食物連鎖は，地上や地中，水中など，あらゆる生態系でみられます。

生命活動によって，地球にはたえず有機物が生みだされています。一方で，生物の死がいや排せつ物に含まれる有機物を無機物に分解する，「分解者」とよばれる生物もいます。生物の体をつくる物質は環境へともどり，生態系全体で物質が循環しているのです。

※：一般に，炭素を含む化合物を「有機物」，有機物以外のすべての物質を「無機物」という。ただし，一酸化炭素，二酸化炭素や炭酸カルシウムなどの簡単な炭素化合物は，無機物に分類される。

生命維持に欠かせない 酸素と栄養

ヒトが生命の機能を維持するためには，呼吸（外呼吸）によって外部から酸素を取り入れ，二酸化炭素を放出する必要があります。肺に到達した酸素は血液に取りこまれ，逆に血液からは二酸化炭素が取りだされます。こうして酸素が多くなり，二酸化炭素が少なくなった血液が，肺から心臓へもどります。この血液の流れを「肺循環」といいます。

肺循環を終えて酸素を豊富に含んだ血液は，心臓から全身へと届けられます。この血液の流れを「体循環」といいます。体循環によって，体すべての細胞は酸素を受け取って，不要な二酸化炭素を排出します。これを「細胞呼吸」といいます。

酸素のほかに，ヒトは外部から栄養も取り入れる必要があります。食べ物に含まれる炭水化物やタンパク質といった栄養素は，消化器官を通じて消化・吸収されます。食道，胃，小腸，大腸などの，口から肛門までのつながりを「消化管」といい，唾液腺や膵臓などの消化腺から出される消化酵素が栄養を分解するはたらきをもっています。分解された栄養は，主に小腸で吸収され，肝臓などに貯蔵されます。さらに大腸で水分が吸収された残りが，便として肛門から排出されます。

細胞の生命活動によって，有毒物質であるアンモニアが発生します。アンモニアは，肝臓のはたらきで毒性の低い尿素に変換されてから腎臓で取り除かれ，尿として外部に排出されます。

主な消化器官

食べ物を消化・吸収する，主な消化器官をえがきました。ヒトの体には，口から肛門まで，消化管がつながっています。消化管をすべてのばすと，およそ9メートルにもなるといいます。

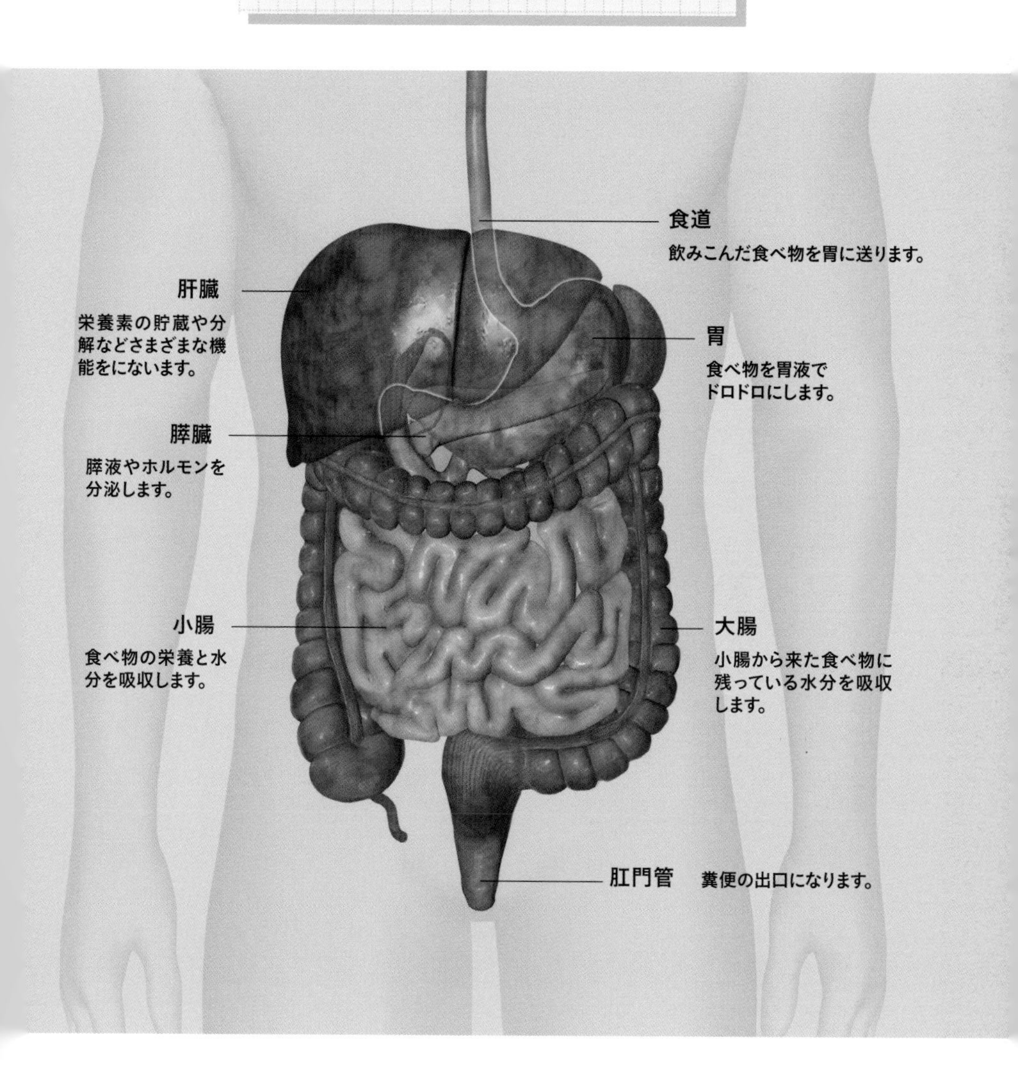

脳と体をつなぐ「情報伝達システム」

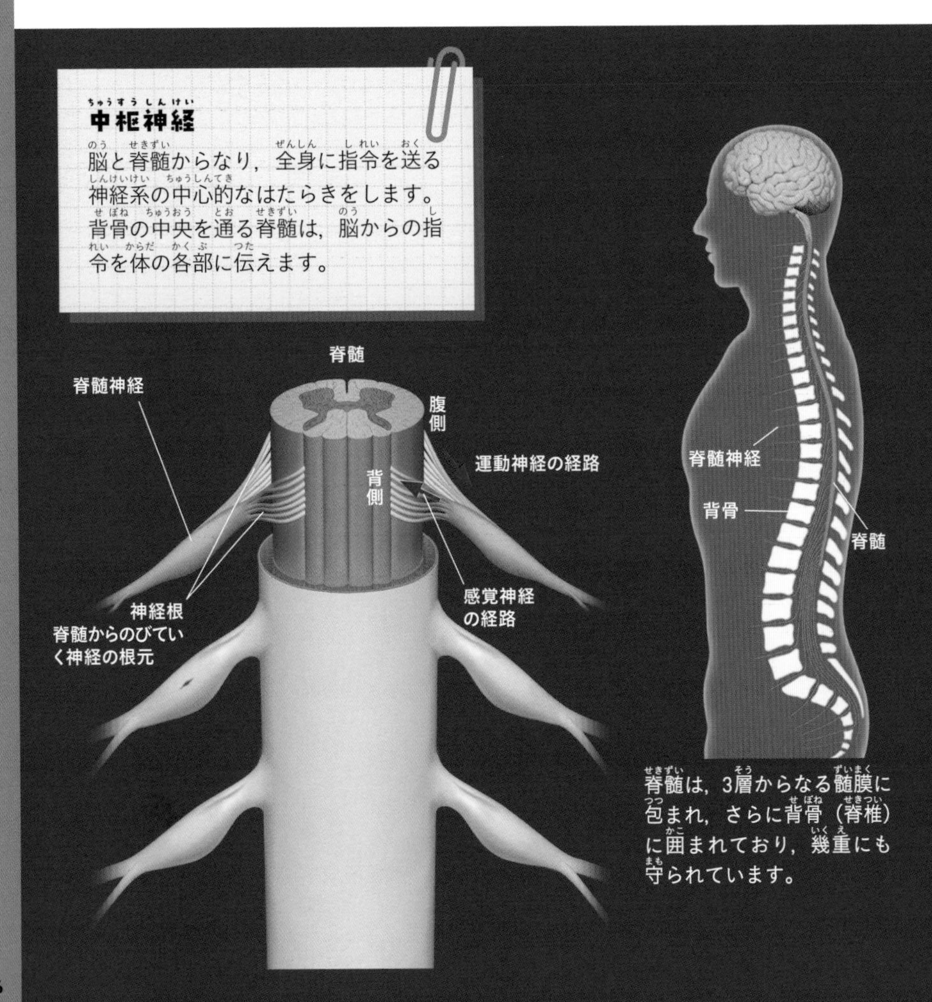

脊髄は，3層からなる髄膜に包まれ，さらに背骨（脊椎）に囲まれており，幾重にも守られています。

私たちは，つねに光や音などの刺激を受け取っています。これらの刺激を受け取る役割をになっているのが，目や耳といった感覚器です。

感覚器が受け取った刺激は，感覚神経を通って，中枢神経系に至ります。中枢神経系は，刺激の情報を処理し，運動神経や自律神経を通じて，筋肉などの効果器に指令を出します。指令を受けた効果器は，運動をはじめたり，汗を分泌したりします。感覚神経，中枢神経，運動神経，自律神経などを総称して「神経系」とよびます。

神経系は，神経細胞（ニューロン）とグリア細胞などから構成されています。神経細胞は，情報を電気信号として伝えます。ただし神経細胞どうしが接するシナプスにはわずかなすき間があり，そのすき間を電気信号が通ることはできません。そこでシナプスでは，神経伝達物質を分泌・受容することで情報が伝達されます。**一方，グリア細胞は，神経伝達を修復したり，神経細胞に栄養分を補給したりする役割をになっています。**

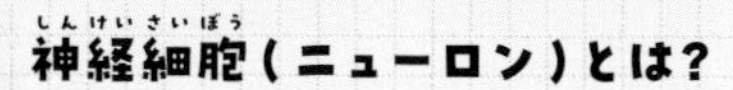

神経細胞（ニューロン）とは？

脳には1000億個以上もの神経細胞があり，長い突起を使って情報を伝え合っています。情報受信用の突起を「樹状突起」，送信用の突起を「軸索」といいます。一つの神経細胞内では情報を電気信号で伝えます。

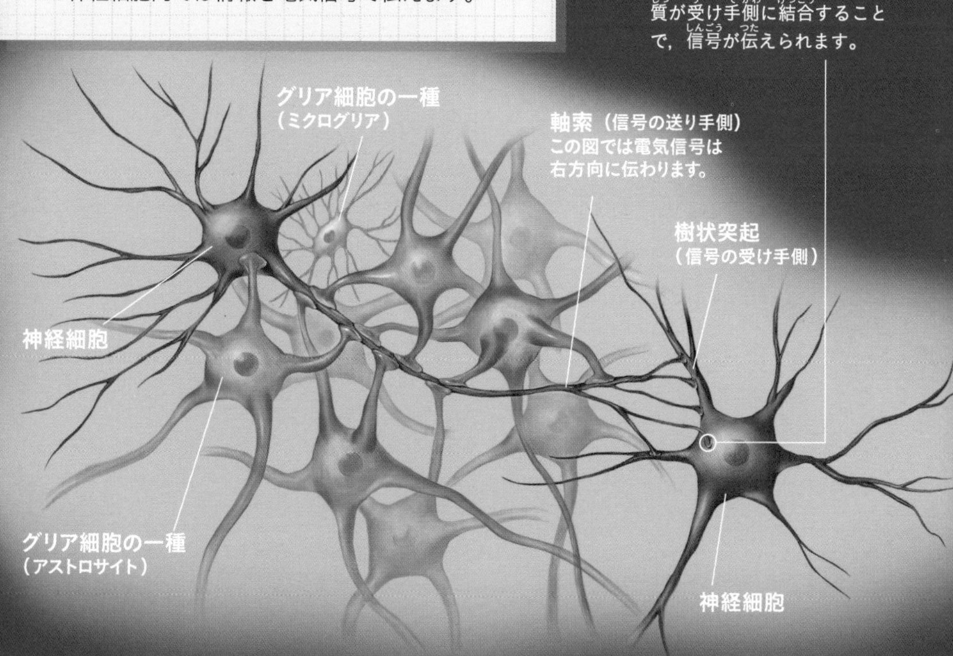

ヒトの体を守る「免疫システム」

脊椎動物（30ページ）の血液は，「血漿」とよばれる液体成分と，赤血球や白血球，血小板などの細胞で構成されています。**白血球は，体内に侵入してきたウイルスや細菌などの病原体を排除する役割をにないます**。このしくみを「免疫系」といい，たくさんの種類の白血球が協力し合って，病原体を撃退します。

免疫には，「自然免疫」と「獲得免疫」の2種類があります。自然免疫は，病原体に対して最初にはたらく免疫です。「マクロファージ」や「好中球」などの食細胞が病原体を食べて，細胞内で消化します。

獲得免疫は，特定の病原体をねらって攻撃する免疫です。細菌やウイルスを構成する分子の一部分をB細胞が異物とみなすと，その異物を認識できる「抗体（免疫グロブリン）」がつくられます。抗体が結合した細菌やウイルスは，マクロファージなどの食細胞に食べられやすくなります。

免疫細胞「白血球」の種類

好中球，好酸球，好塩基球，マクロファージ，B細胞，T細胞などがあります。

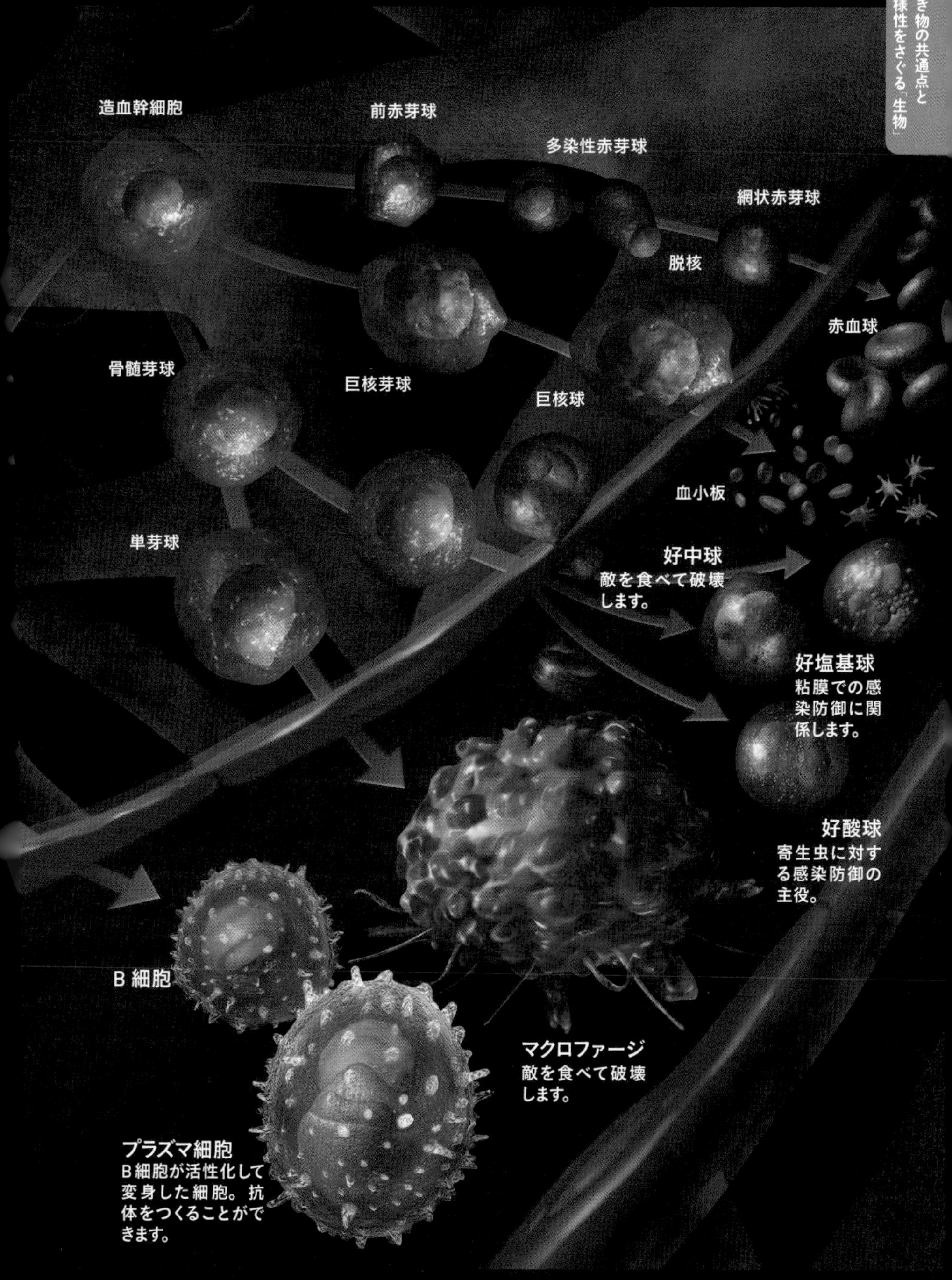

造血幹細胞

前赤芽球

多染性赤芽球

網状赤芽球

脱核

赤血球

骨髄芽球

巨核芽球

巨核球

血小板

単芽球

好中球
敵を食べて破壊します。

好塩基球
粘膜での感染防御に関係します。

好酸球
寄生虫に対する感染防御の主役。

B 細胞

マクロファージ
敵を食べて破壊します。

プラズマ細胞
B細胞が活性化して変身した細胞。抗体をつくることができます。

コーヒーブレイク

Column COFFEE BREAK

生物学×化学 生物学と化学のコラボで新薬を開発

薬は，一般的に体内のタンパク質にはたらきかけて病気の進行をくいとめます。たとえばインフルエンザの治療薬には，インフルエンザウイルスをふやすタンパク質のはたらきを阻害する薬があります。**ある病気の治療薬を開発するには，まずは生物学の知識を用いてその病気のしくみを理解し，薬の“標的”となるタンパク質をさがす必要があります。**

標的がみつかったら，次は標的に作用する化学物質（有機化合物）をさがします。標的となるタンパク質と薬は「鍵と鍵穴」のような関係で，“ぴったりとはまる”化合物をみつけなければなりません。

新たな有機化合物をつくる際に利用される反応の一つが，「クロスカップリング反応」です（下の図）。この反応を用いれば，複数の有機化合物がもつ炭素の結合をつなぎかえることで，正確に目標の化合物を得ることができます。血圧降下剤やエイズの治療薬などに応用されています。

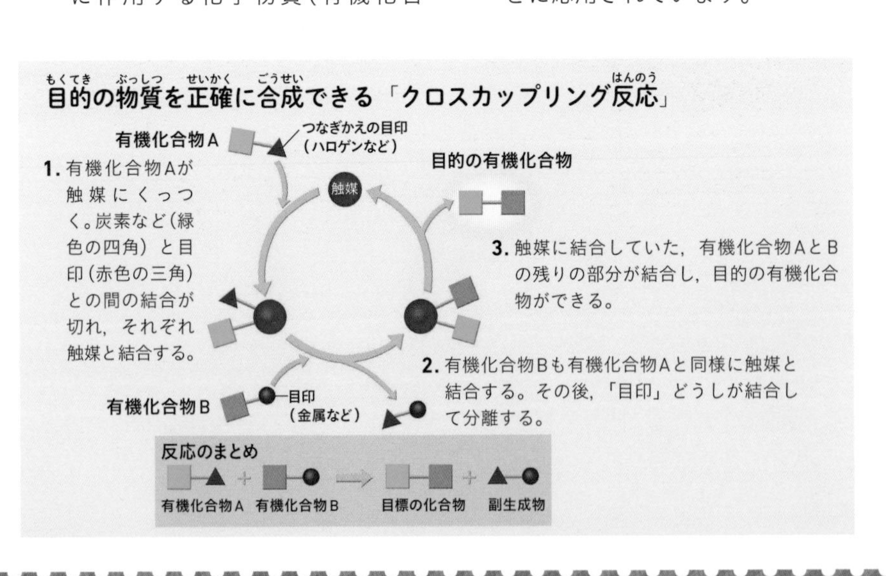

標的となるタンパク質と薬は「鍵と鍵穴」のような関係

薬づくりの第一歩は，生物学の知識を駆使して，特定の病気の原因やしくみを突き止めることからはじまります。病気の原因やしくみがわかったら，次はターゲットとなるタンパク質をさがします。そして化学の知見をいかして，このタンパク質にぴったりとはまる化学物質，つまり“薬のタネ”となる物質をみつけだします。

化合物Aは「鍵穴（タンパク質のポケット）」にうまくはまりこめないので，“薬のタネ”にはなりません。

化合物Bは「鍵穴（タンパク質のポケット）」にうまくはまりこむため，“薬のタネ”となり，次のステージに進みます。

2 物のなりたちと性質を解き明かす「化学」

私たちの身のまわりには，さまざまな物質があふれています。この世界に存在するあらゆる物質のなりたちや性質を解き明かし，新たな材料を生みだす学問が「化学」です。2章では，化学についてみていきましょう。

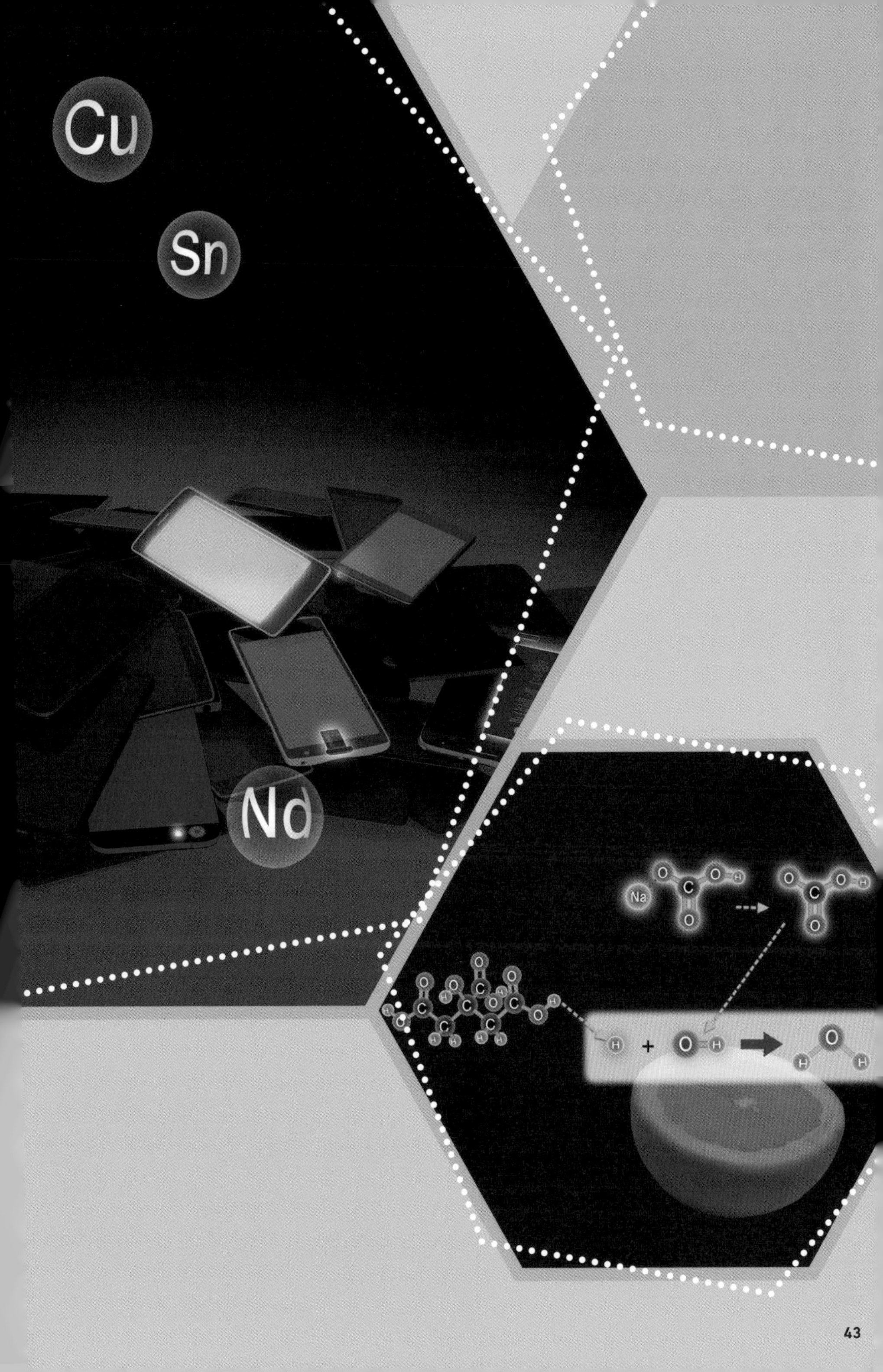
Cu
Sn
Nd
Na
O
C
H
+

中高の「化学」では，こんな内容を学ぶ

中学理科および高校「化学基礎」で学ぶ主な内容

- 状態の変化
- 原子・分子
- 物質の融点と沸点
- 化学変化
- 熱運動と物質の三態
- 酸・塩基と中和

高校「化学」の単元

物質の状態と平衡

- 物質の状態とその変化
- 溶液と平衡

物質の変化と平衡

- 化学反応とエネルギー
- 化学反応と化学平衡

化学は，この世界に存在するあらゆる物質のなりたちや性質を解き明かし，新たな材料を生みだす分野です。

下に示したのは，高校の「化学」で学ぶ内容です。その土台となる知識は，中学の理科（第1分野）と，それを発展させた高校の「化学基礎」で学びます。

高校の化学は，化学の基本的な概念や原理，法則を体系的に学べるように構成されています。観察や実験などを通じて，化学的な物事や現象を探究する能力を身につけます。

- 周期表と元素
- 水溶液とイオン
- 金属と金属結合
- 身のまわりの物質
- 有機物と無機物
- 炭素と共有結合
- 科学技術と人間
- 化学がひらく世界

無機物質の性質

・無機物質

有機化合物の性質

・有機化合物
・高分子化合物

化学が果たす役割

・人間生活の中の化学

注：2022年4月開始の学習指導要領にもとづく。

物質は温度に応じて「固体」「液体」「気体」に変化する

水をあたためると水蒸気になり，冷やすと氷になります。私たちが「温度」とよんでいるものの正体は，原子・分子（54～59ページで説明）の運動のはげしさ（運動エネルギー）です。温度が高いほど原子・分子ははげしく動き，温度が低いほど動きがおだやかになります。

物質は一般に，温度が高いほうから順に「気体」「液体」「固体」の三つの状態（物質の三態）をとります。

気体は，原子・分子が猛烈な速さで飛んでいる状態です。原子や分子どうしは適度に近づくと，たがいに引力※をおよぼし合います。気体の温度が下がって原子・分子の速さが遅くなってくると，原子・分子は引力によって集まるようになります。これが液体です。

温度がさらに下がると，原子・分子は自由に移動できなくなり，一か所にとどまるようになります。これが固体です。ただし固体でも，原子や分子は振動しており，静止してはいません。

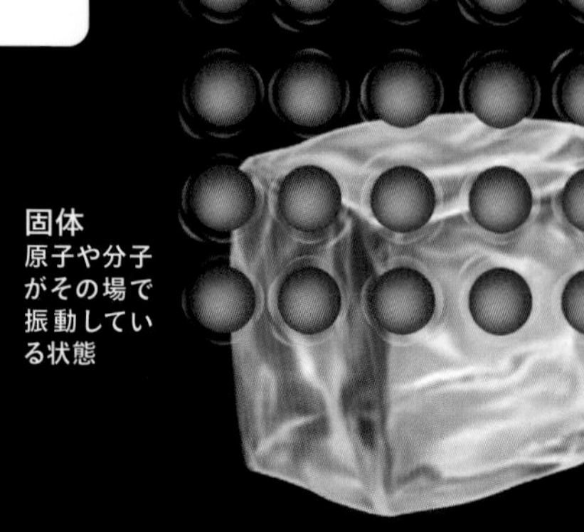

固体
原子や分子がその場で振動している状態

物質の三態

「気体」「液体」「固体」を，原子・分子の動きでイメージしました。状態の変化には，それぞれ名前がついています。固体から気体への変化を「昇華」，気体から固体への変化を「凝華」，固体から液体への変化を「融解」，液体から固体への変化を「凝固」，液体から気体への変化を「蒸発」，気体から液体への変化を「凝結」といいます。

※：一般的に引力とは「万有引力」をさす場合が多いが，ここでの引力は，原子，イオン，分子の間にはたらく力の一つである「ファン・デル・ワールス力」をさす。

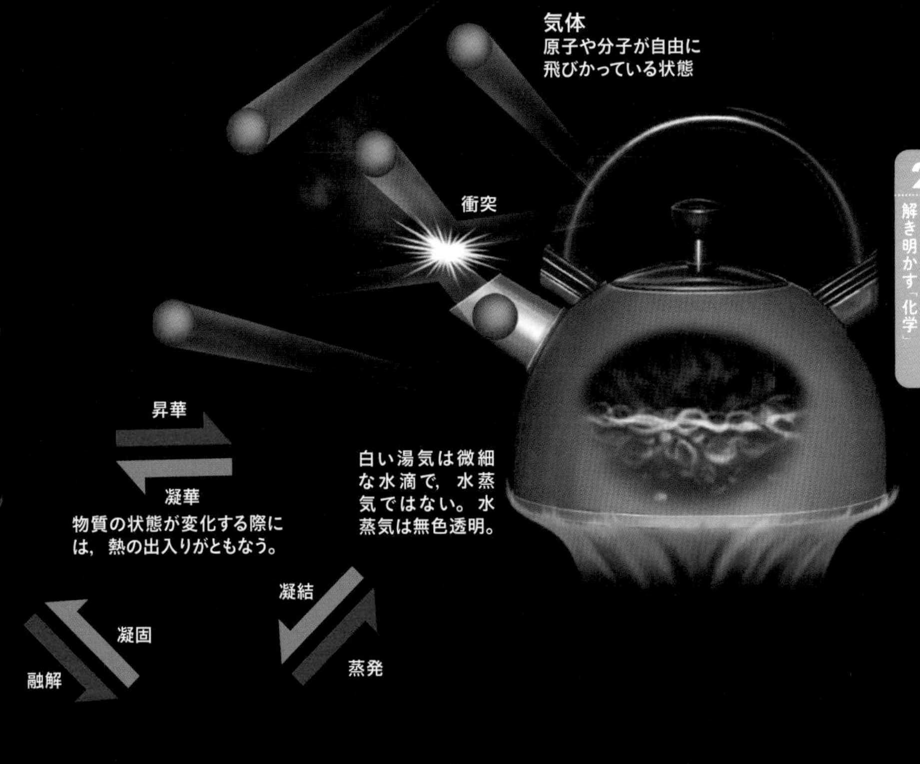

注：イラストでは，水に限らず一般的な気体・液体・固体のイメージとするため，水分子ではなく，単なる球で原子・分子をえがいた。

「水にとける」とは，水分子と物質が均一にまざること

とける粒子の数が多いほど，凝固点が下がる

砂糖1分子を水にとかすと，水にとけた粒子は1個です。それに対して，塩1分子を水にとかすとナトリウムイオンと塩化物イオンに分かれ，とけた粒子は2個になります。とけた粒子数が多い塩水のほうが，より温度を下げないと凍りません。つまり，凝固点降下は水（溶媒）にとけている物質（溶質）の種類に関係なく，溶質の濃度（モル濃度）に比例するのです。ちなみに，この凝固点降下の分子的なしくみは，いまだ完全に説明できない謎の一つです。

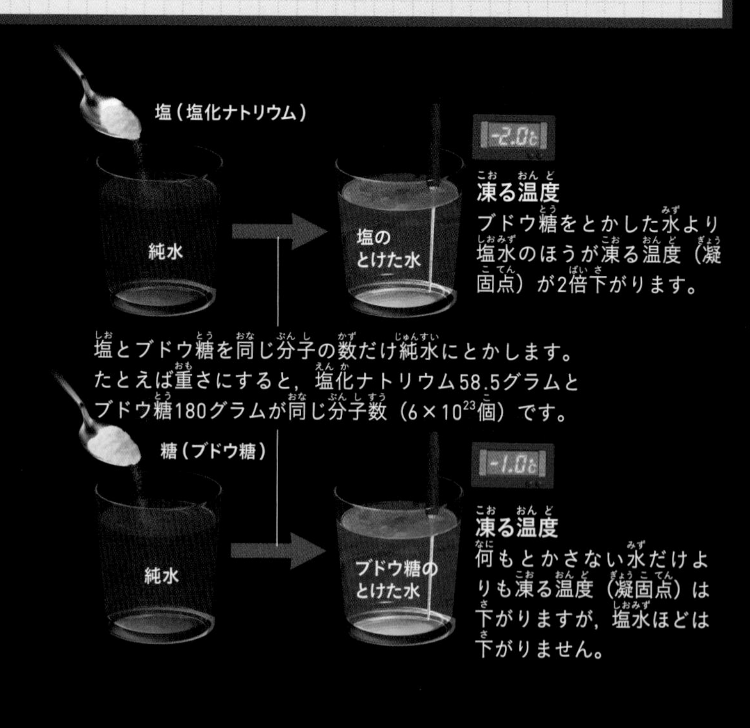

物質が水にとけるとは，水分子と均一にまざることをさします。たとえば，塩（塩化ナトリウム：NaCl）はプラスの電荷をもつナトリウムイオン（Na^+）と，マイナスのイオンをもつ塩化物イオン（Cl^-）が交互に並んで結合しています（イオン結合）。しかし水に入れると，2種類のイオンがばらばらに分かれてしまうのです。

1個の水分子には，弱いプラスの電荷をもつ部分と弱いマイナスの電荷をもつ部分があります。そのため，塩を水に入れると，プラスの電荷をもつナトリウムイオンは水分子のマイナス部分と，マイナスの電荷をもつ塩化物イオンは水分子のプラス部分と引き合います。一つのイオンをいくつもの水分子が取り囲むことで，塩の固体からイオンを引き抜いていくのです。

水中でイオンに分かれる物質のことを「電解質」といいます。逆に，水中でイオンに分かれない物質のことを「非電解質」といいます。

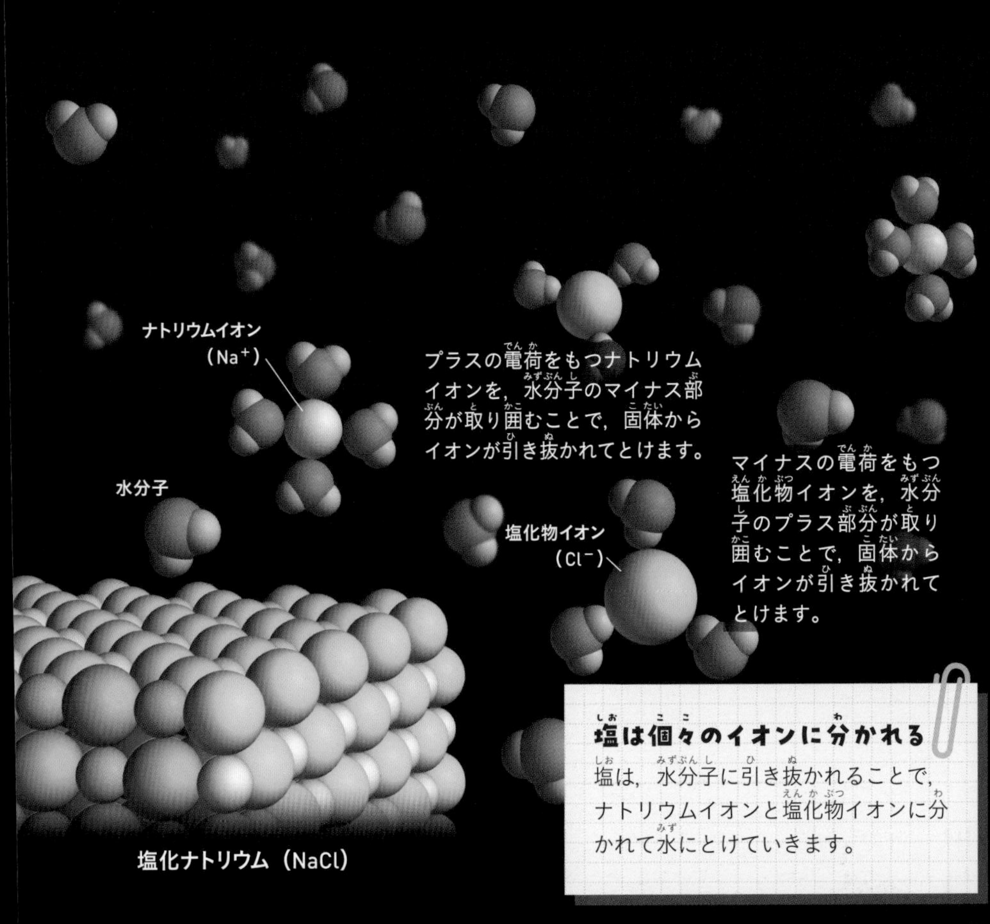

塩は個々のイオンに分かれる

塩は，水分子に引き抜かれることで，ナトリウムイオンと塩化物イオンに分かれて水にとけていきます。

ある物質が別の物質に変わる「化学反応」

水分子の生成

酸素や水素は化学反応をおこしやすい元素ですが，分子の状態で接触しただけでは反応しません。光や熱のエネルギーを加えて，分子の運動エネルギーを大きくすると，分子は原子に分かれたり，分子どうしが衝突したりして，すぐに反応がはじまり，水分子が生成されます。

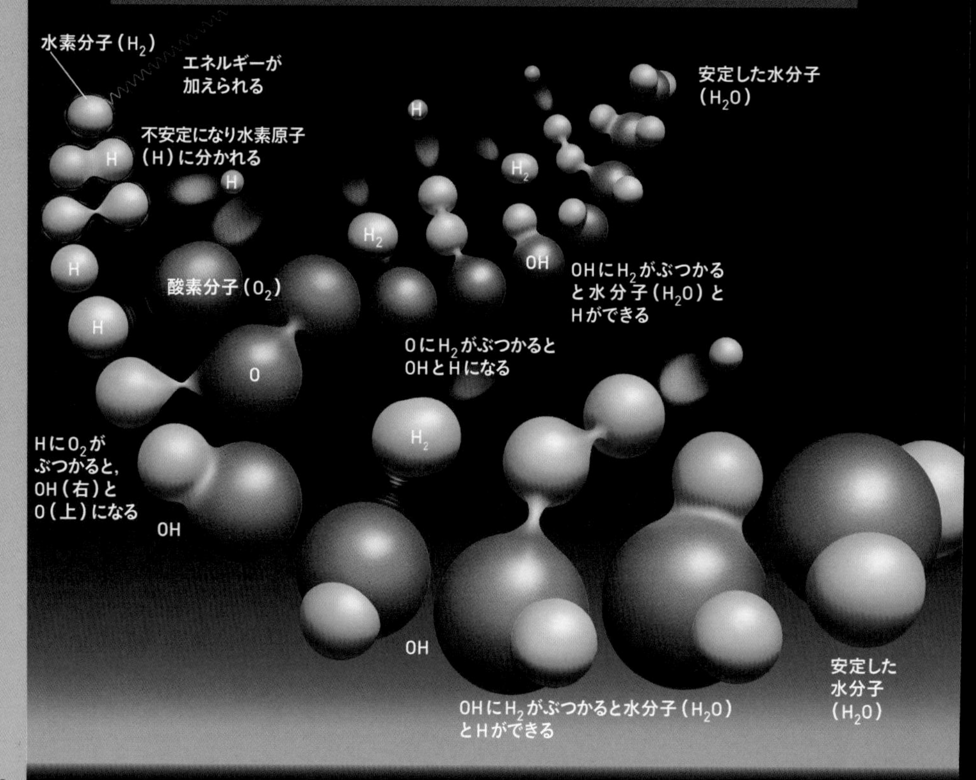

化学反応と聞くと，実験室で薬品などをまぜ合わせている光景が浮かぶかもしれません。しかし，**化学反応は身近にあふれています。たとえば私たちの体の中では，食べ物を消化液で分解したり，体内に取りこんだブドウ糖を酸素と反応させてエネルギーを取りだしたりといった化学反応が，休むことなくおきているのです。**

化学反応とは，物質どうしが結びついて別の物質になったり（化合），一つの物質が二つ以上の別の物質に分かれたり（分解）する反応のことです。

たとえば，酸素分子と水素分子を混合して熱や電気エネルギーを加えると，爆発的に反応して水という性質のことなる分子ができます。これを式で書くと以下のようになります。

$$2H_2 + O_2 \rightarrow 2H_2O$$

また，**化学反応がおきるとき，物質を構成する原子の間で電子の受け渡しがおきます**（くわしくは64ページ）。

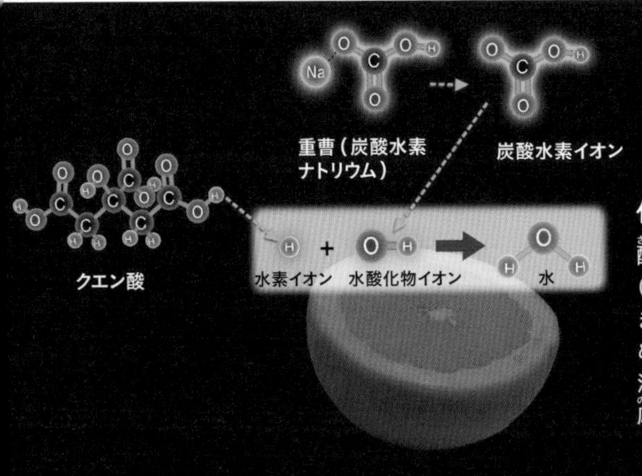

化学反応ですっぱさがやわらぐ

酸を含むすっぱい食品に，食用の重曹（炭酸水素ナトリウム）を振りかけてみましょう。重曹は弱いアルカリ性のため，酸性とアルカリ性がたがいに打ち消し合う「中和反応※」という化学反応がおこり，すっぱさがやわらぎます。

中和反応を利用して炭酸水をつくる

中和がおきるとき，水素イオンと水酸化物イオンが結合して水ができます。クエン酸と重曹による中和反応では，水に加え二酸化炭素も発生します。500ミリリットルの水に，食用のクエン酸と重曹を小さじ1杯ずつ入れると，シュワッとした炭酸水ができます。おいしく飲むには，砂糖や果汁を加えるとよいでしょう。

※：中和反応については，64ページでくわしく紹介。

コーヒーブレイク

COFFEE BREAK

Column

化学反応を加速させる魔法の物質「触媒」

化学反応にかかわっていながら，反応の前後で何も変化しない物質のことを「触媒」といいます。光が当たるとよごれを分解したり，空気を浄化したりすることで知られている「光触媒」は，光が当たっている場所だけが触媒としてはたらく特殊な物質です。

触媒は，私たちの身近なところで使われています。たとえば，車の排気ガスに含まれる一酸化炭素や二酸化窒素などの有害な物質は，触媒によって分解されてから排出されています。

どんな化学反応であれ，エネルギーの出入りが発生します。このエネルギーを「活性化エネルギー」といいます。触媒には，特定の化学反応に必要とされる活性化エネルギーを小さくする効果があります。排気ガスの分解などを行うには，本来たくさんのエネルギー（熱）が必要です。しかし，触媒があるおかげで，温度がそれほど高くなくても，十分に反応が進むようになるのです。

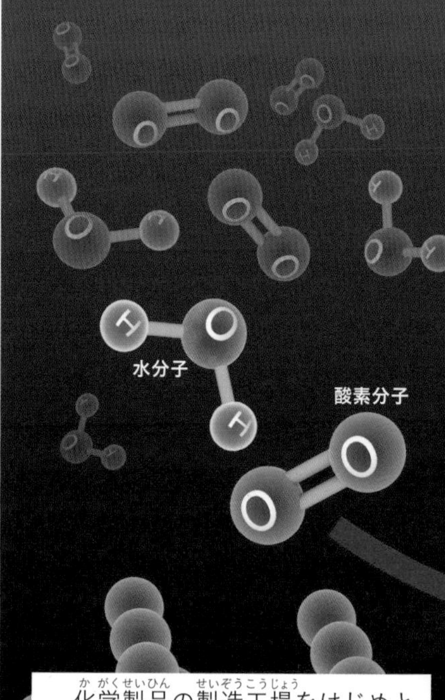

化学製品の製造工場をはじめとした産業の現場では，触媒が製品の品質や製造量，コストなどに大きな影響をあたえています。そのため，触媒の表面でおきている化学反応の詳細についての研究や，新しい触媒の開発が，精力的に行われています。

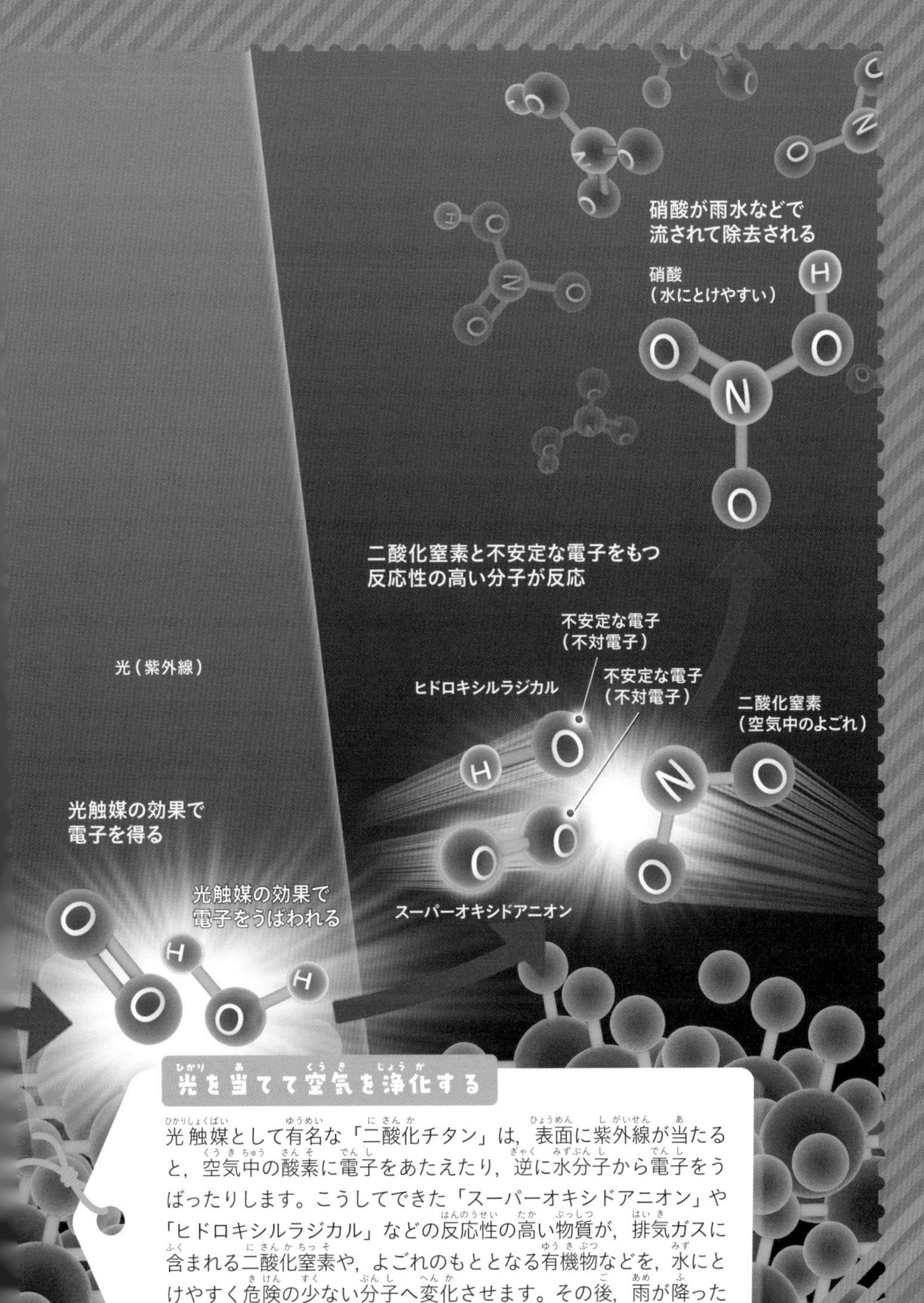

光を当てて空気を浄化する

光触媒として有名な「二酸化チタン」は，表面に紫外線が当たると，空気中の酸素に電子をあたえたり，逆に水分子から電子をうばったりします。こうしてできた「スーパーオキシドアニオン」や「ヒドロキシルラジカル」などの反応性の高い物質が，排気ガスに含まれる二酸化窒素や，よごれのもととなる有機物などを，水にとけやすく危険の少ない分子へ変化させます。その後，雨が降ったり，掃除されたりした際に，分解された分子は洗い流されます。

「周期表(しゅうきひょう)」を理解(りかい)すると、元素(げんそ)の性質(せいしつ)がよくわかる！

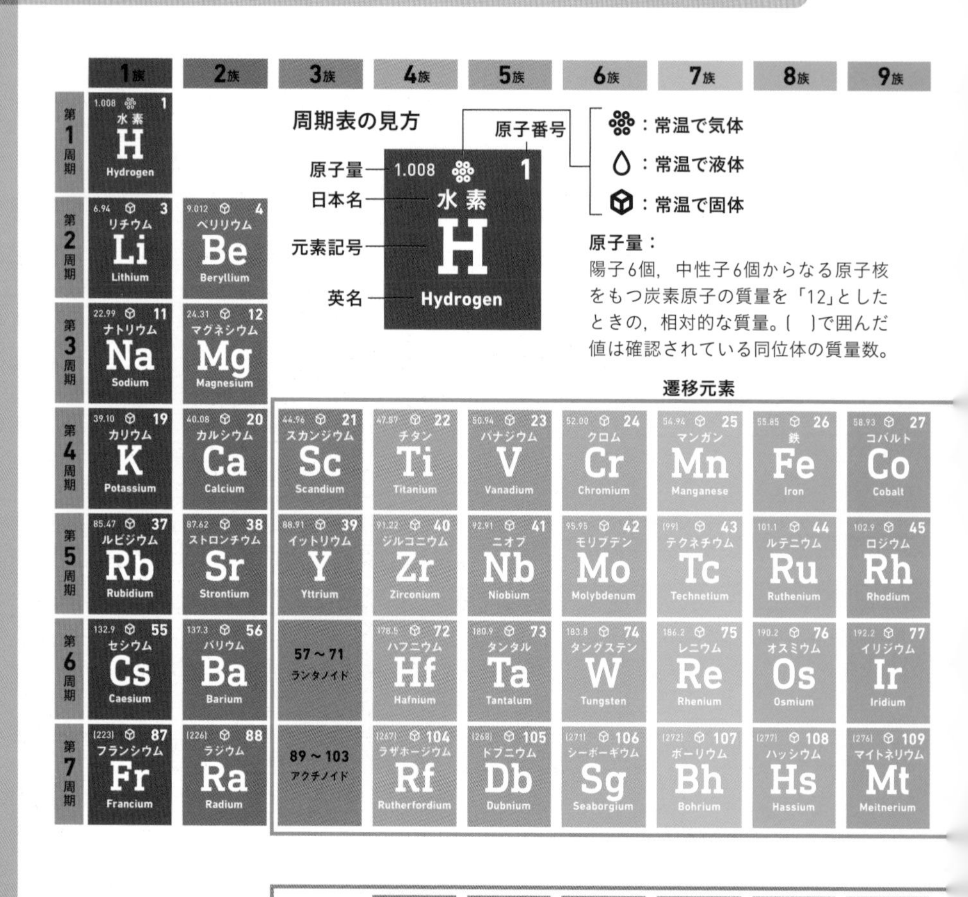

データ出典
原子量：日本化学会原子量専門委員会が2023年に発表した4桁の原子量，『理科年表2023年度版』（丸善）

元素とは，物質をつくっている基本的な成分のことです。たとえば水(H_2O)は，水素(H)と酸素(O)の二つの元素からできています。このように，**すべての物質はさまざまな元素の組み合わせでできています**。

現在知られている元素は，全部で118種類。**これらの元素を規則正しく並べたものが「周期表」です。実は周期表は，似た性質をもつ元素が縦に並ぶように並べられています**。この縦の並びは「族」とよばれ，族ごとの性質を知ると，それぞれの元素の特徴やそのちがいがよくわかるようになります。

10族	11族	12族	13族	14族	15族	16族	17族	18族
								4.003 2 ヘリウム He Helium
			10.81 5 ホウ素 B Boron	12.01 6 炭素 C Carbon	14.01 7 窒素 N Nitrogen	16.00 8 酸素 O Oxygen	19.00 9 フッ素 F Fluorine	20.18 10 ネオン Ne Neon
			26.98 13 アルミニウム Al Aluminium	28.09 14 ケイ素 Si Silicon	30.97 15 リン P Phosphorus	32.07 16 硫黄 S Sulfur	35.45 17 塩素 Cl Chlorine	39.95 18 アルゴン Ar Argon
58.69 28 ニッケル Ni Nickel	63.55 29 銅 Cu Copper	65.38 30 亜鉛 Zn Zinc	69.72 31 ガリウム Ga Gallium	72.63 32 ゲルマニウム Ge Germanium	74.92 33 ヒ素 As Arsenic	78.97 34 セレン Se Selenium	79.90 35 臭素 Br Bromine	83.80 36 クリプトン Kr Krypton
106.4 46 パラジウム Pd Palladium	107.9 47 銀 Ag Silver	112.4 48 カドミウム Cd Cadmium	114.8 49 インジウム In Indium	118.7 50 スズ Sn Tin	121.8 51 アンチモン Sb Antimony	127.6 52 テルル Te Tellurium	126.9 53 ヨウ素 I Iodine	131.3 54 キセノン Xe Xenon
195.1 78 白金 Pt Platinum	197.0 79 金 Au Gold	200.6 80 水銀 Hg Mercury	204.4 81 タリウム Tl Thallium	207.2 82 鉛 Pb Lead	209.0 83 ビスマス Bi Bismuth	(210) 84 ポロニウム Po Polonium	(210) 85 アスタチン At Astatine	(222) 86 ラドン Rn Radon
(281) 110 ダームスタチウム Ds Darmstadtium	(280) 111 レントゲニウム Rg Roentgenium	(285) 112 コペルニシウム Cn Copernicium	(278) 113 ニホニウム Nh Nihonium	(289) 114 フレロビウム Fl Flerovium	(289) 115 モスコビウム Mc Moscovium	(293) 116 リバモリウム Lv Livermorium	(293) 117 テネシン Ts Tennessine	(294) 118 オガネソン Og Oganesson

注：原子番号104番以降の元素の化学的性質はまだよくわかっていません。

152.0 63 ユウロピウム Eu Europium	157.3 64 ガドリニウム Gd Gadolinium	158.9 65 テルビウム Tb Terbium	162.5 66 ジスプロシウム Dy Dysprosium	164.9 67 ホルミウム Ho Holmium	167.3 68 エルビウム Er Erbium	168.9 69 ツリウム Tm Thulium	173.0 70 イッテルビウム Yb Ytterbium	175.0 71 ルテチウム Lu Lutetium
(243) 95 アメリシウム Am Americium	(247) 96 キュリウム Cm Curium	(247) 97 バークリウム Bk Berkelium	(252) 98 カリホルニウム Cf Californium	(252) 99 アインスタイニウム Es Einsteinium	(257) 100 フェルミウム Fm Fermium	(258) 101 メンデレビウム Md Mendelevium	(259) 102 ノーベリウム No Nobelium	(262) 103 ローレンシウム Lr Lawrencium

原子の中の電子には，ルールに沿った“部屋割り”がある

原子の中の電子は，複数の「殻」に分かれて存在する

原子核のまわりの電子は，「電子殻」とよばれるいくつかの層に分かれて存在しています。外側の電子殻ほど，一つの殻の中に入ることのできる電子の最大数（定員）が多くなりますが，電子は基本的に，原子核に近い内側の電子殻から順番に入っていきます。また，定員いっぱいまで電子が入った電子殻を「閉殻」といい，その電子の配置は安定しています。

原子番号は，原子核に含まれる「陽子の数」

右に炭素の原子をあらわしました。炭素は，原子核に6個の陽子があるので，原子番号は6となります。またマイナスの電気をもつ電子は，プラスの電気をもつ陽子の数とつり合うように，同じ数だけ存在します。

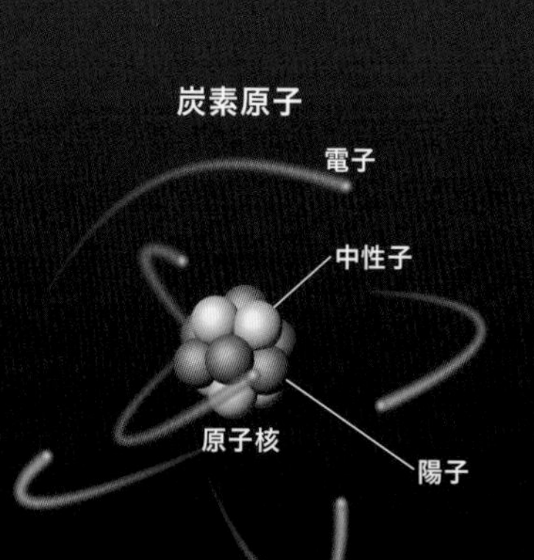

現在の周期表は，原子の種類（元素）を示す「原子番号」の順に元素が並べられています。原子番号が大きいほど，重い元素になります。

20世紀に入ってから，**原子がプラスの電気をもった「原子核」と，マイナスの電気をもった「電子」からなることがわかってきました。さらに原子核は，プラスの電気をもった「陽子」と，電気的に中性な「中性子」からなることも明らかになりました。**原子核に含まれる陽子の数は，原子の種類（元素）によってことなります。そのため，「陽子の数」が原子番号として使われています。

原子の中に存在する電子には，その居場所に特定のルールがあります。電子が存在できる領域は，「電子殻」とよばれるいくつかの層に分かれています（右下の図）。周期表の横の並び（周期）は，原子がもつ電子がどの電子殻まで存在しているかということと対応しています。

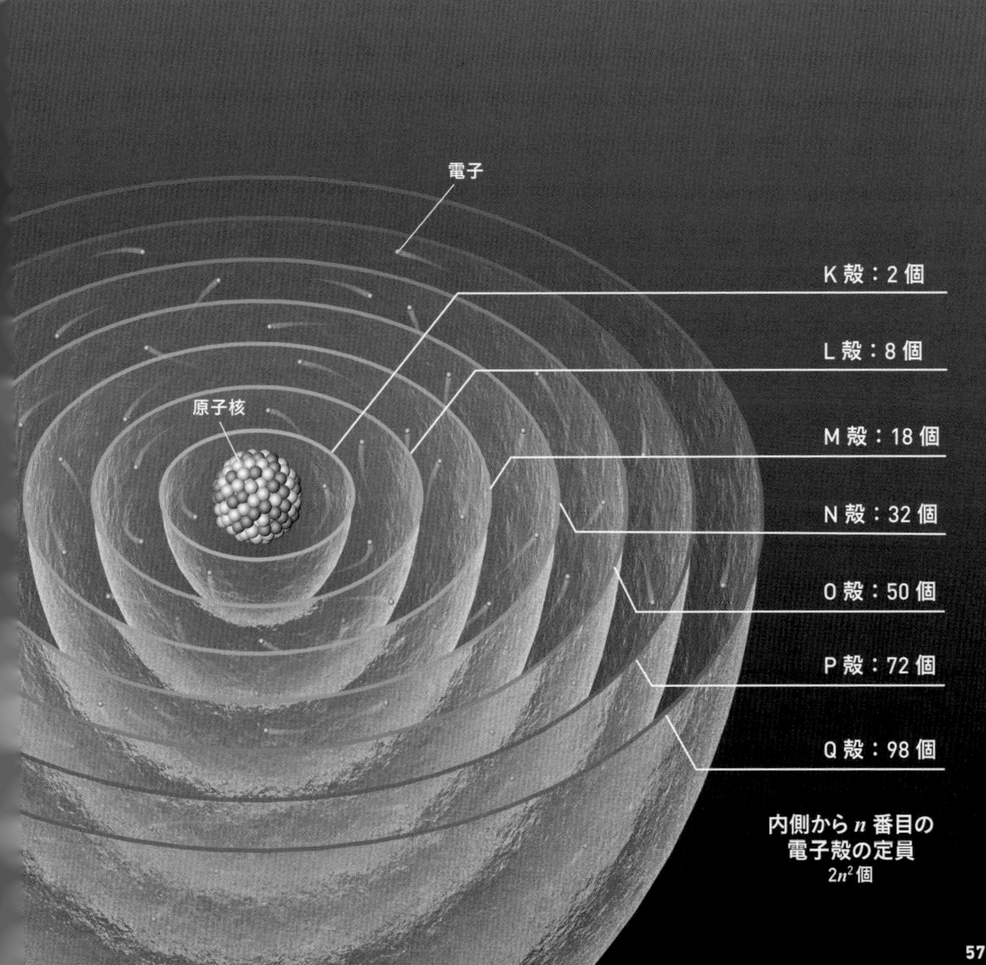

水溶液(すいようえき)が電気(でんき)を通(とお)すかどうかは「イオン」で決(き)まる

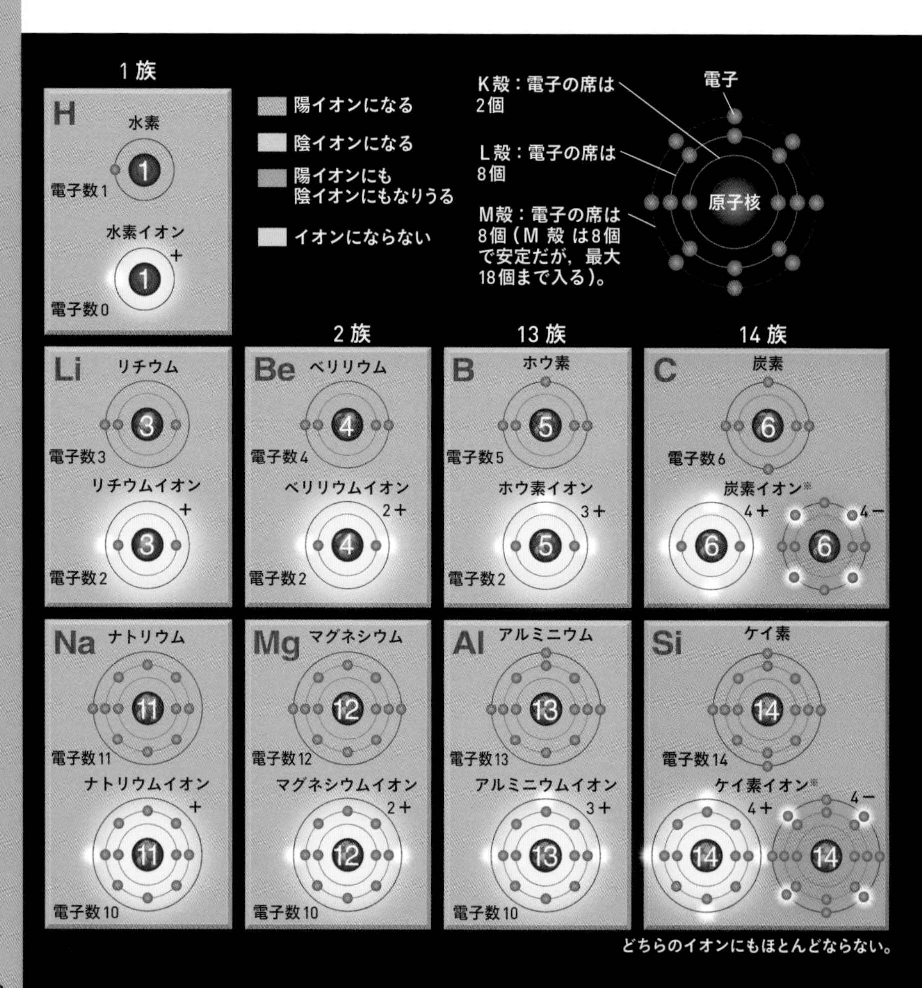

原子はほかの原子と電子をやりとりして，最外殻の席を電子で埋めて安定しようとします。

原子が電子をもらい，電子の数が陽子よりも多くなると，「陰イオン」という，全体がマイナスの電荷をもった状態になります。一方，原子がほかの原子に電子を渡し，陽子の数が電子よりも多くなると，「陽イオン」という，全体がプラスの電荷をもった状態になります。たとえば，塩素原子は最外殻の空席は一つだけです。そのため，電子が1個ふえて陰イオンになれば最外殻の空席が埋まり安定します。また，ナトリウム原子は最外殻に1個だけ電子が埋まり，残り7個は空席です。最外殻の電子1個を手放して陽イオンになると安定します。

なお，すでに最外殻の空席が埋まっているネオン原子などは，イオンになりにくいという性質があります。

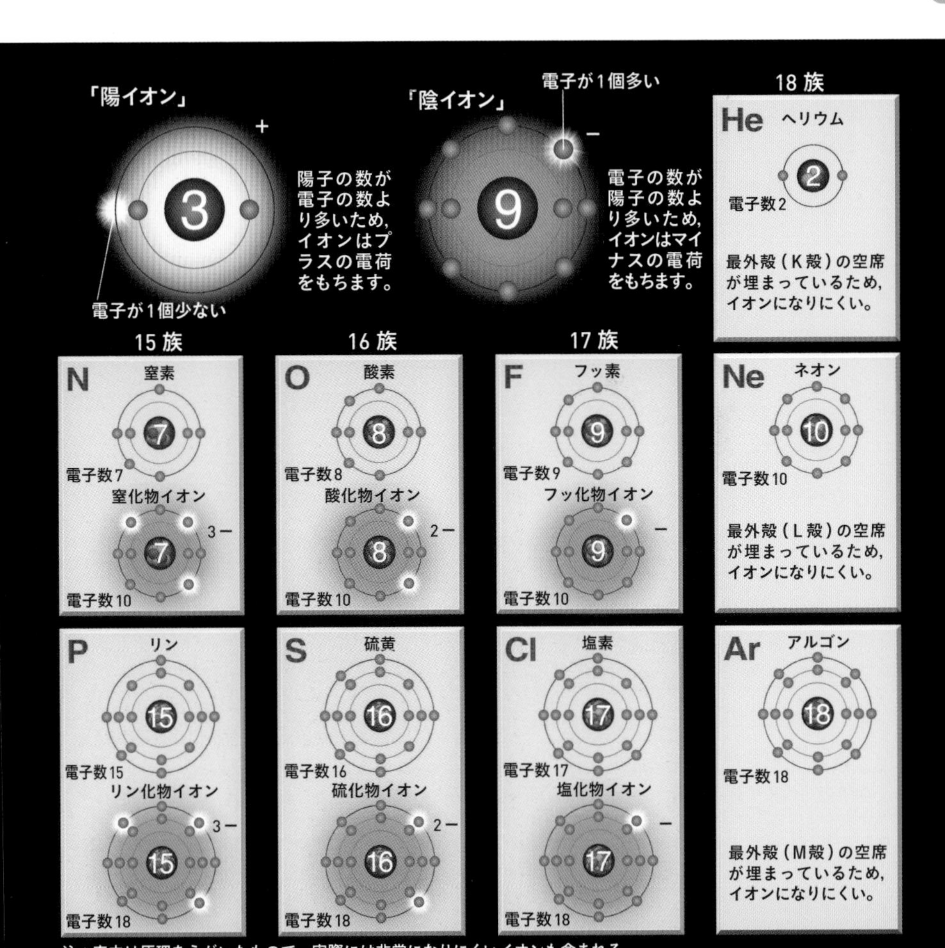

スマホや家電製品に欠かせない「レアメタル」

「レアメタル」は，地上に存在している量の少なさや，採掘方法のむずかしさなどから希少性が高いとされる，経済産業省が指定した金属元素の総称です。

スマートフォン（スマホ）には，リチウムイオン電池の材料となる「リチウム（Li）」，スピーカーなどに使われている「ネオジム（Nd）」，液晶ディスプレイに欠かせない「インジウム（In）」など，さまざまなレアメタルが使われています。スマホ以外の家電製品にも，必ずといっていいほどレアメタルが使われています。

資源が少ない日本では，ほとんどの金属を輸入にたよっています。そこで，**廃棄されるスマホや家電製品に使われていた金属を「都市鉱山」と名づけ，リサイクルする試みが進められています**。たとえば，スマホ1台から取りだせる「金（Au）」の量は，約0.05グラムです。たったそれだけだと思うかもしれませんが，全国からかき集めれば膨大な量になるのです。

ICチップ
ケイ素（Si）などの半導体をはじめ，金（Au），銀（Ag），銅（Cu）などの電気が流れやすい材料が使われています。

カメラのレンズ
スマホのカメラのレンズには「プラスチック」が使われているものもあります。そういったスマホのレンズは，主に炭素（C）と水素（H）でできています。

スマホの中にある元素
スマホの中にあるパーツと，そこに使われているさまざまな元素をえがきました。

全国に眠る資源

このグラフは，一般的な金属と主要なレアメタル（黄色の文字）について，日本の都市鉱山からリサイクルされた場合に，世界の金属消費量を何年分まかなえるのかを試算した結果を示しています。

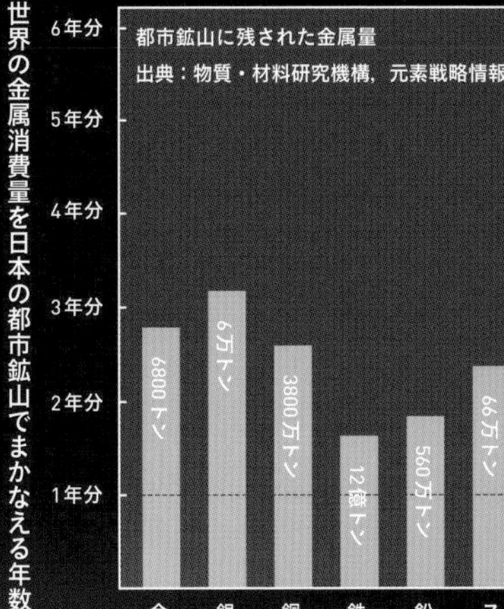

液晶ディスプレイ
インジウム（In）やスズ（Sn）からつくられた透明な電極が使われています。機種によっては，ガリウム（Ga）などでできた透明な電極を使っているものもあります。

イヤホンジャック
外気にふれてさびやすい配線部には，さびにくい金（Au）が使われています。

ライト
スマホのライトはLEDです。LEDをつくる半導体の材料として，インジウム（In）やガリウム（Ga）などが使われています。

スピーカー
内部にある小さなモーターには，ネオジム（Nd）を使った，ネオジム磁石が入っています。

リチウムイオン電池
電気をつくる鍵となるリチウム（Li）はもちろん，電極としてコバルト（Co）や炭素（C）が使われています。

※：周期表8〜10族の中で第5周期と第6周期に属する元素の総称。

原子の結びつき方が，物質の性質を特徴づける

原子どうしは，原子がもつ電子のはたらき方によって，「イオン結合」「共有結合」「金属結合」などの結びつきをします。

「イオン結合」の例に，食塩があります。食塩の物質名は「塩化ナトリウム」といい，ナトリウム原子(Na)と塩素原子(Cl)が結びついたものです。ナトリウム原子が電子を失って正の電気をおびた「陽イオン」と，塩素原子が負の電気をおびた「陰イオン」が，電気的に引き合うことで結びついています。

「共有結合」の例に，ダイヤモンドがあります。ダイヤモンドを構成する複数の炭素原子(C)は，最外殻電子をたがいに共有し合い，あたかも空席がないようにおぎなうことで，かたく結びついています。

金のインゴット※は，「金属結合」による結晶です。それぞれの金原子(Au)がもつ最外殻電子は，複数の原子の間を自由に動きまわることができます(自由電子)。つまり，**自由電子を結晶全体で共有するという“ゆるい結合の仕方”のため，金属は柔軟に変形させたり(展性)，薄くのばしたり(延性)できるのです。**

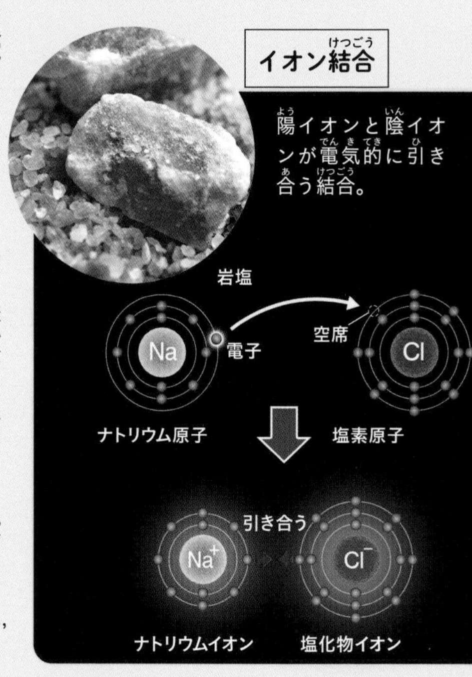

※：金属の不純物を取り除き，鋳型に流しこんでかたまりにしたもの。

共有結合

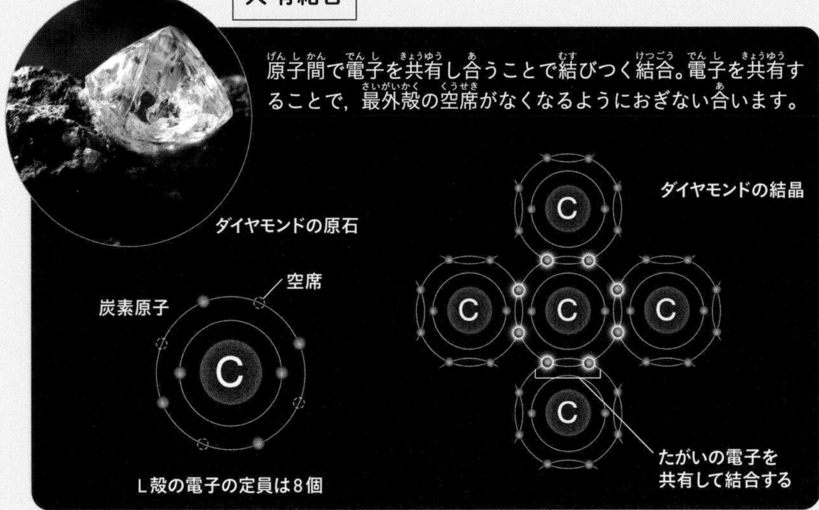

金属結合

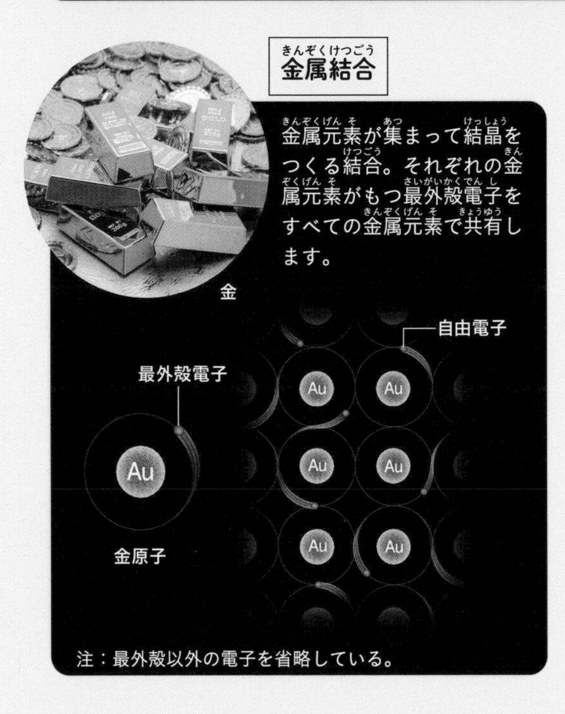

原子の結合の仕方

三つの基本的な化学結合（原子どうしの結びつき方）をえがきました。

電子のはたらきから，化学反応のしくみをさぐる

化学反応（50ページ）がおきるとき，物質を構成する原子の間で電子の受け渡しが行われます。

たとえば，**お菓子の袋の中に，「脱酸素剤」と書かれた小さな袋が入っていることがあります。これは，「酸化還元反応」という化学反応を利用して，お菓子の味をそこなわせる酸素を取り除くものです。**

脱酸素剤の中には鉄粉が入っています。鉄（Fe）は酸素（O_2）と結びつきやすい性質があり，周囲の酸素を取り除くはたらきをもちます。

鉄が酸素と結びつくとき，鉄は電子を酸素に渡して失います。この「電子を失うこと」を「酸化」といいます。一方，酸素は鉄から電子を受け取ります。この「電子を受け取ること」を「還元」といいます。

もう一つ，よく知られた化学反応に「中和反応」があります。トイレの床などについたアンモニア臭は，クエン酸との中和反応で消すことができます。クエン酸を水にとかすと，水素イオン（H^+）を放出します。このように水溶液中で水素イオンを生じる物質を「酸」といい，酸の水溶液がもつ性質を「酸性」といいます。

一方，アンモニアは水にとけると，水と反応して水酸化物イオン（OH^-）を生じます。水溶液中で水酸化物イオンを生じる物質は「塩基」といい，塩基の水溶液がもつ性質を「塩基性（アルカリ性）」といいます。

酸であるクエン酸と塩基であるアンモニアが出会うと，酸と塩基の性質は打ち消し合います。この「中和反応」によってアンモニアは，「クエン酸三アンモニウム」という，においのしない物質に変わるのです。

身近にある化学反応

「中和反応」の例として，クエン酸とアンモニアの化学反応をえがきました。

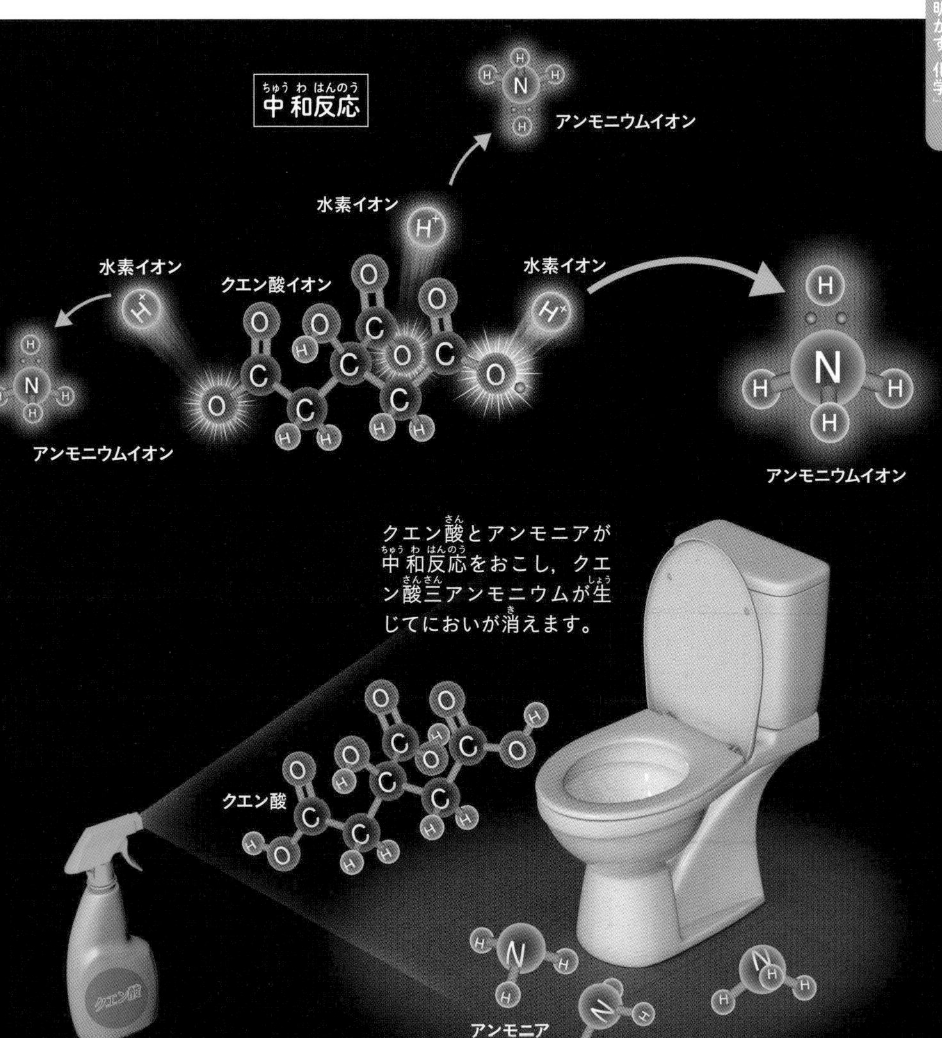

水素と酸素を反応させて電気をつくる「燃料電池」

水素と燃料電池

水素（H_2）の調達方法を示しました。右ページには，水素を燃料とした燃料電池による発電のしくみをえがいています。

水素（H_2）

気体の水素（H_2）は高い反応性をもち，火をつけると爆発的に燃焼します。気体の水素は，天然には存在しません。

水を電気分解

自然エネルギーで発電した電気を使って，自然界の水（H_2O）を電気分解して水素（H_2）を得ます。

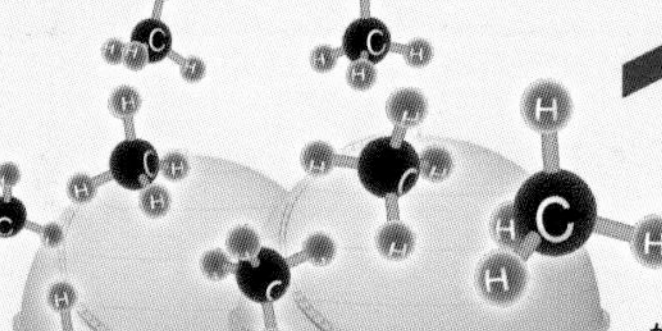

化石燃料を加熱

都市ガスなどの化石燃料を加熱することで水素（H_2）を得ます。これを「改質」といいます。

水は，電気を流すと水素と酸素に分解されます（水の電気分解）。「燃料電池」はこの反応を逆転させ，水素と酸素を反応させて電気エネルギーを取りだします。電池という名前がついていますが，充電した電気をためておくものではありません。その場で燃料の水素を燃やすことで発電する，いわば“小さな発電所”なのです。

水素は，メタンやメタノールなどからつくります。酸素は大気中から取り入れます。水素と酸素から電気がつくれることは，1839年に報告されています。

燃料電池は長らく，宇宙船の電源など，限られた用途で使われてきました。しかし，**石油などの化石燃料への依存からの脱却などを目的として，燃料電池の技術開発が進みました**。現在では，都市ガスから取りだした水素で発電する家庭用燃料電池が市販され，燃料電池で走る自動車やバスが街を走りはじめています。

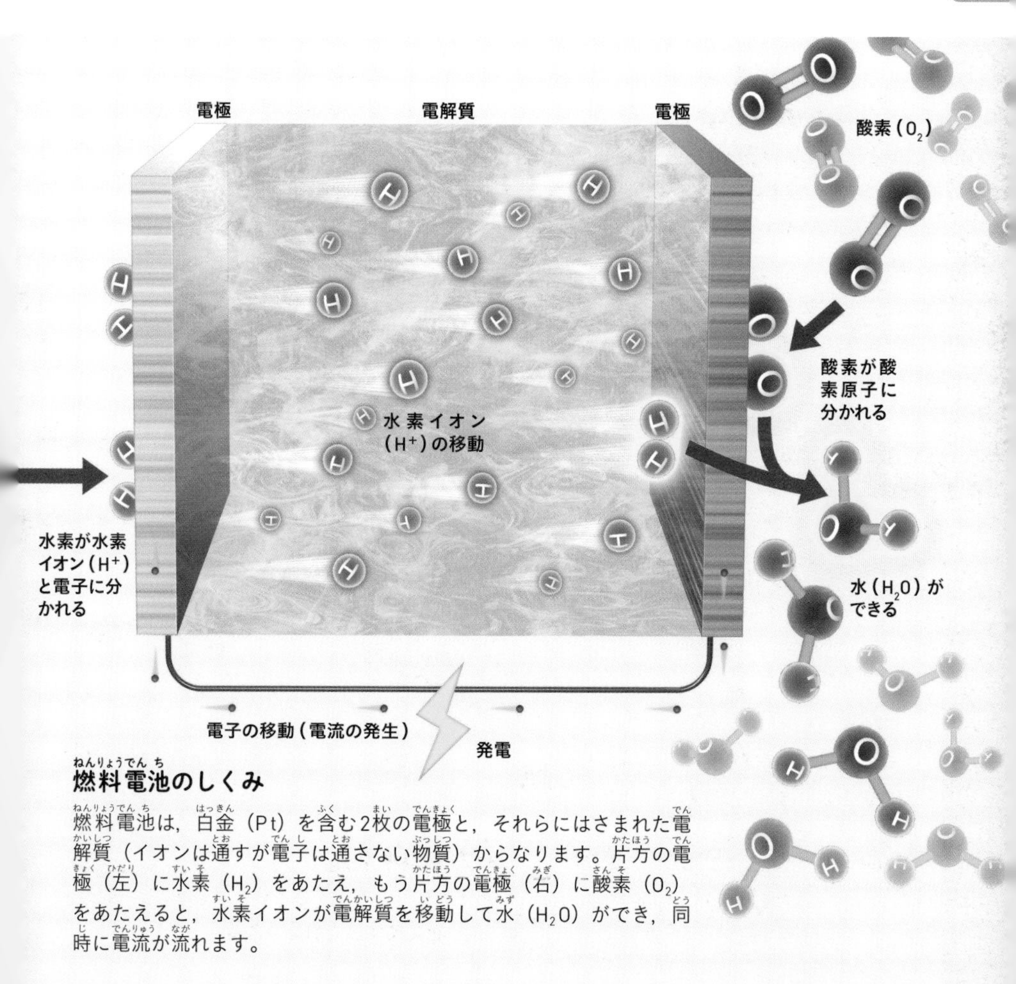

燃料電池のしくみ

燃料電池は，白金（Pt）を含む2枚の電極と，それらにはさまれた電解質（イオンは通すが電子は通さない物質）からなります。片方の電極（左）に水素（H_2）をあたえ，もう片方の電極（右）に酸素（O_2）をあたえると，水素イオンが電解質を移動して水（H_2O）ができ，同時に電流が流れます。

炭素のつながり方で，有機化合物の種類が変わる

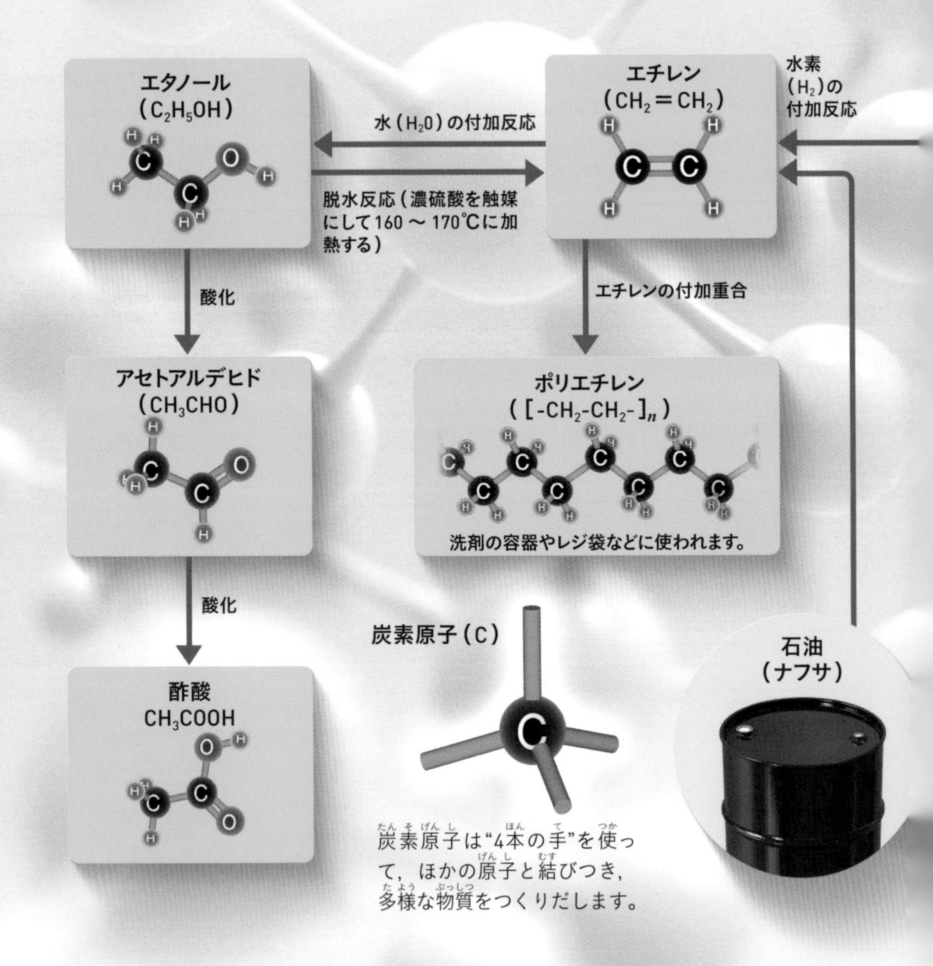

有機化合物は，約2億種類もあるといわれます。有機化合物の骨格となる炭素原子は，“4本の手”を使って鎖のように長い有機化合物をつくることができます。また，枝分かれした炭素の鎖をつくったり，5個または6個の炭素原子が環状につながった構造をつくったりすることもできます。こうして多様な有機化合物が生まれるのです。

プラスチックや合成繊維などの有機化合物は，石油（原油）からつくられます。原油を精製するときに分離される「ナフサ」とよばれるガソリンに似た液体から，「エチレン」や「ベンゼン」といった有機化合物が得られます。それらをもとにした化学反応によって，さまざまな有機化合物がつくられるのです。

たとえば，シャンプーのボトルなどに使われる「ポリエチレン」は，エチレンどうしを「付加重合」とよばれる化学反応によって次々とつなげていくことでつくられます。

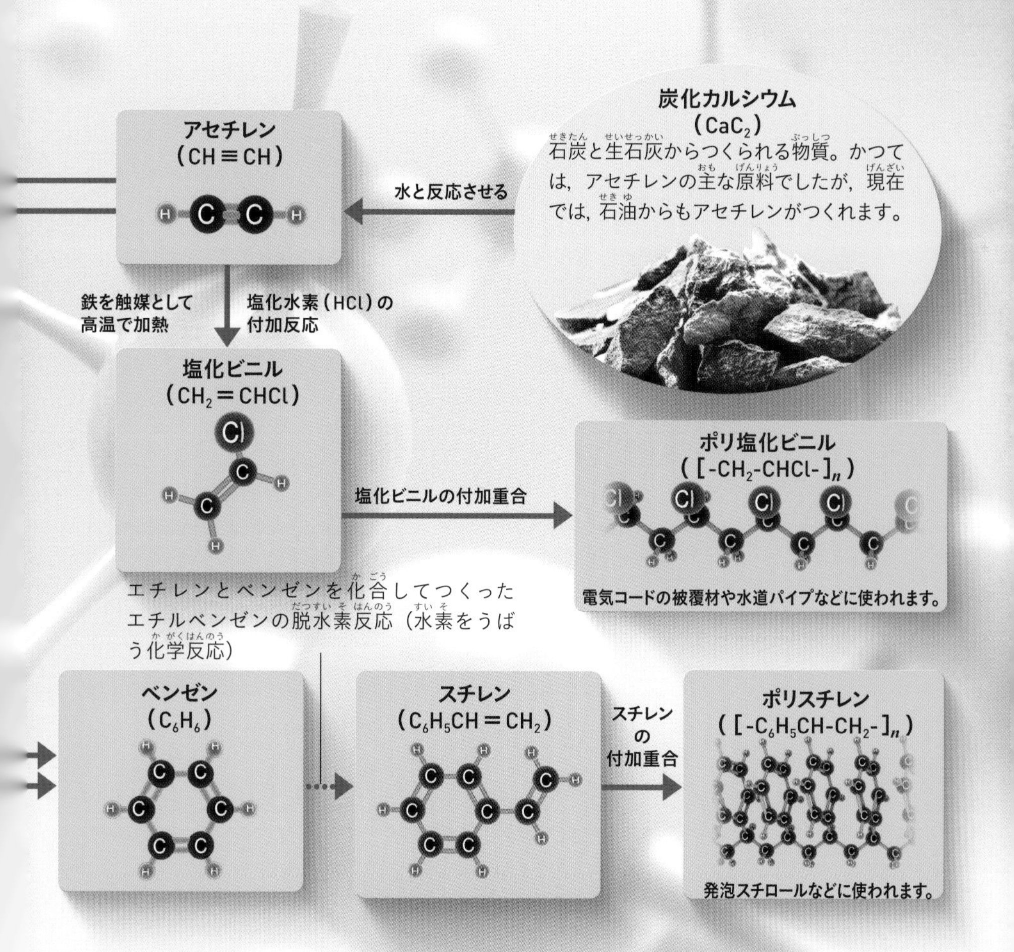

レジ袋やペットボトルに使われる「ポリマー（高分子）」

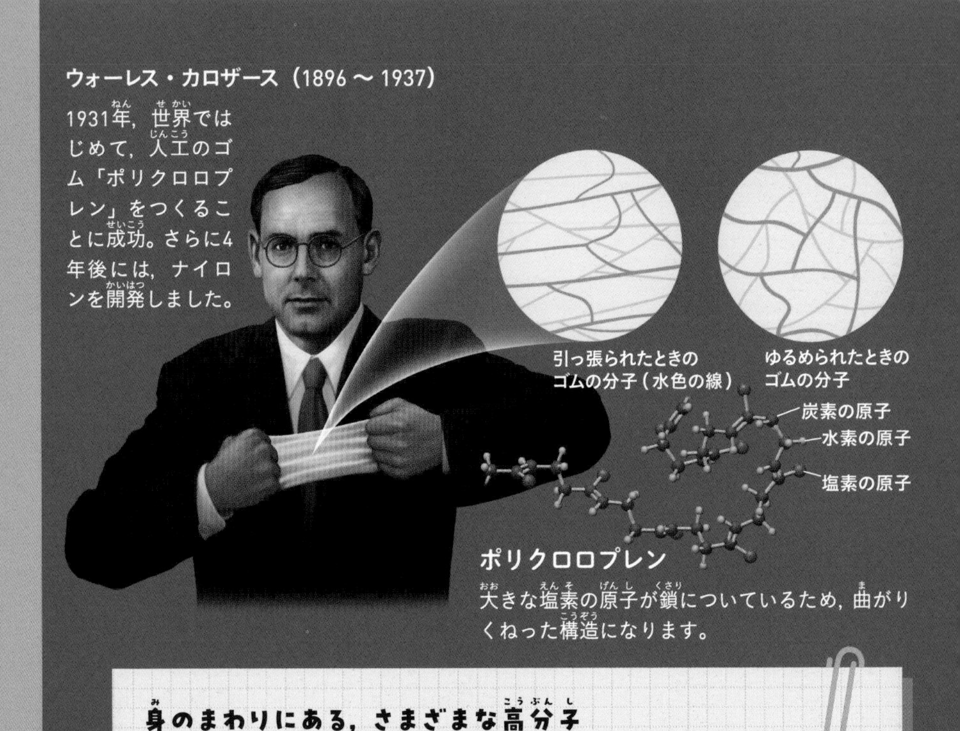

身のまわりにある，さまざまな高分子

ナイロンやペットボトル以外にも，身のまわりのさまざまな場所でポリマーが利用されています。その一例をみてみましょう。

注：記事中の分子のイラストのほとんどは，科学コミュニケーターの本間善夫氏のご協力のもとに作成しています。ホームページ：『生活環境化学の部屋』（http://www.ecosci.jp/）。

私たちの身のまわりには，鎖状の長い分子，「ポリマー（高分子）」でできたものがたくさんあります。レジ袋やペットボトル，あるいは「ポリエステル」や「ナイロン」などもその一例です。

ポリマーは，まず小さな分子（モノマー）をつくり，その分子を数万～数十万個もつなぎ合わせて，長い鎖状の分子（ポリマー）にすることでつくられます。

ポリマーは，20世紀に開発された人工の有機物です。19世紀はじめ，有機物は「生命がつくりだすもの」と考えられていました。その100年後，人間は有機物を人工的にあやつるようになったのです。しかし，**ポリマーの多くは，分解されずに残るものが多いという問題があります。**自然界には，これらの人工の物質を分解する生物が存在しないためです。

近年では，自然界で分解できる素材の開発や，リサイクル技術の普及が進められています。

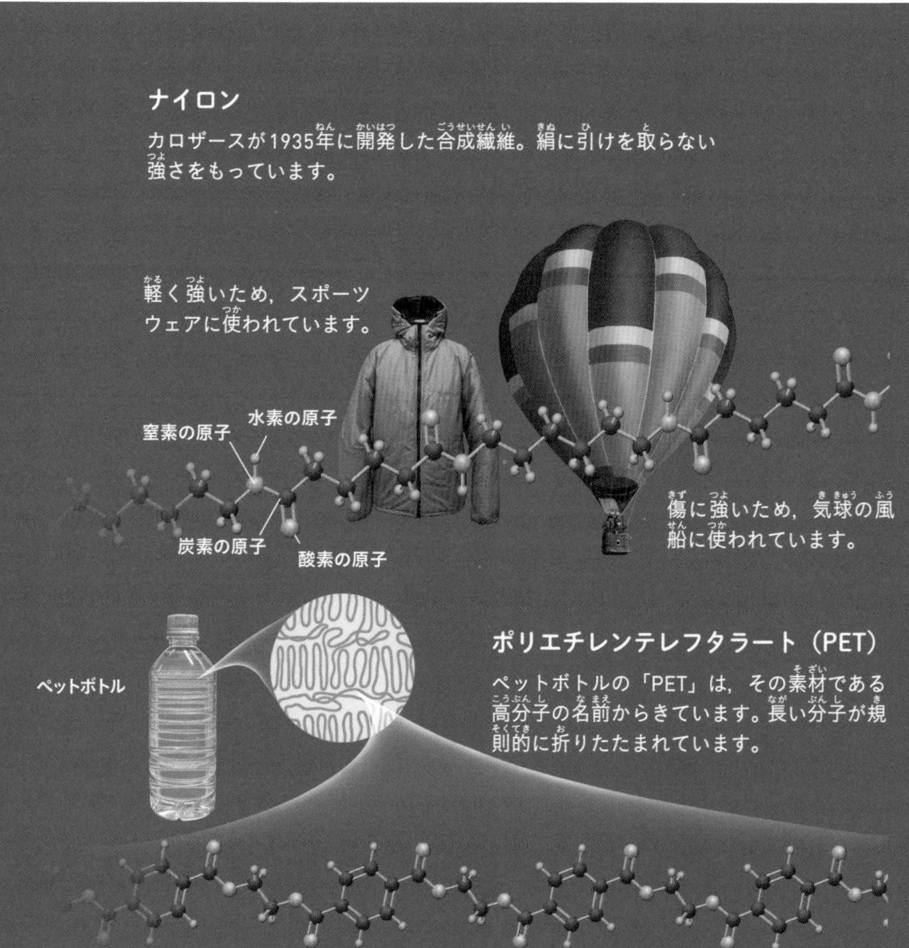

化学×物理

化学の知見が宇宙物理学の発展に貢献

宇宙望遠鏡は，遠くの天体や宇宙でおきているさまざまな物理現象を観測し，そのデータを分析して，未解明の現象の謎を解き明かすことを目的とします。

ジェームズ・ウェッブ宇宙望遠鏡（以下，JWST）は，アメリカ航空宇宙局（NASA）が中心となって開発し，2021年12月に打ち上げられた宇宙望遠鏡です。赤外線観測に特化しており，これまでよりも遠方の宇宙領域や未知の天体の観測を可能にします。**JWSTは，六角形の鏡を18枚組み合わせた，直径約6.5メートルの主鏡（右の写真）をもちます。この主鏡には，化学の知見により「ベリリウム」という軽くてかたい金属が採用されました。**

JWSTは，2022年7月に撮影画像を初公開して以来，初期宇宙の銀河の姿など，宇宙物理学に衝撃をあたえる画像やデータを次々に発表しています。

1	2	3	4	5	6	7	8	9	10	11	12	13	14	15	16	17	18
H																	He
Li	Be											B	C	N	O	F	Ne
Na	Mg											Al	Si	P	S	Cl	Ar
K	Ca	Sc	Ti	V	Cr	Mn	Fe	Co	Ni	Cu	Zn	Ga	Ge	As	Se	Br	Kr
Rb	Sr	Y	Zr	Nb	Mo	Tc	Ru	Rh	Pd	Ag	Cd	In	Sn	Sb	Te	I	Xe
Cs	Ba		Hf	Ta	W	Re	Os	Ir	Pt	Au	Hg	Tl	Pb	Bi	Po	At	Rn
Fr	Ra		Rf	Db	Sg	Bh	Hs	Mt	Ds	Rg	Cn	Nh	Fl	Mc	Lv	Ts	Og
			La	Ce	Pr	Nd	Pm	Sm	Eu	Gd	Tb	Dy	Ho	Er	Tm	Yb	Lu
			Ac	Th	Pa	U	Np	Pu	Am	Cm	Bk	Cf	Es	Fm	Md	No	Lr

4
Be
ベリリウム

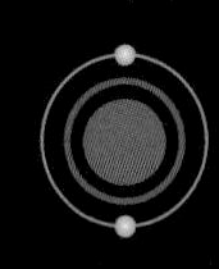

単体の写真

周期表の2族の元素は，すべて金属です。これらの元素は「アルカリ土類金属」ともよばれています。以前はベリリウム，マグネシウム以外の2族元素をアルカリ土類金属とよんでいましたが，現在では2族元素すべてをアルカリ土類金属とよぶことを日本化学会は推奨しています。

ジェームズ・ウェッブ宇宙望遠鏡の主鏡に使われるベリリウム

ベリリウムは軽くて丈夫なため，打ち上げ時の振動に耐えることができ，極低温の宇宙で変形しにくいなどの特徴により，鏡の材料に選ばれました。ただし加工はむずかしいといいます。この写真は，18枚の鏡のうち6枚を並べているところです。これらの鏡は反射効率を高めるために金でコーティングされます（右下の1枚がコーティングされた状態）。

自然界の背景にある法則をさぐる「物理」

この世界でおきるさまざまな現象の背後には，決まった物理法則がかくれています。そうした自然界をつらぬく物理法則を明らかにする学問が，「物理学」です。3章では，物理についてみていきましょう。

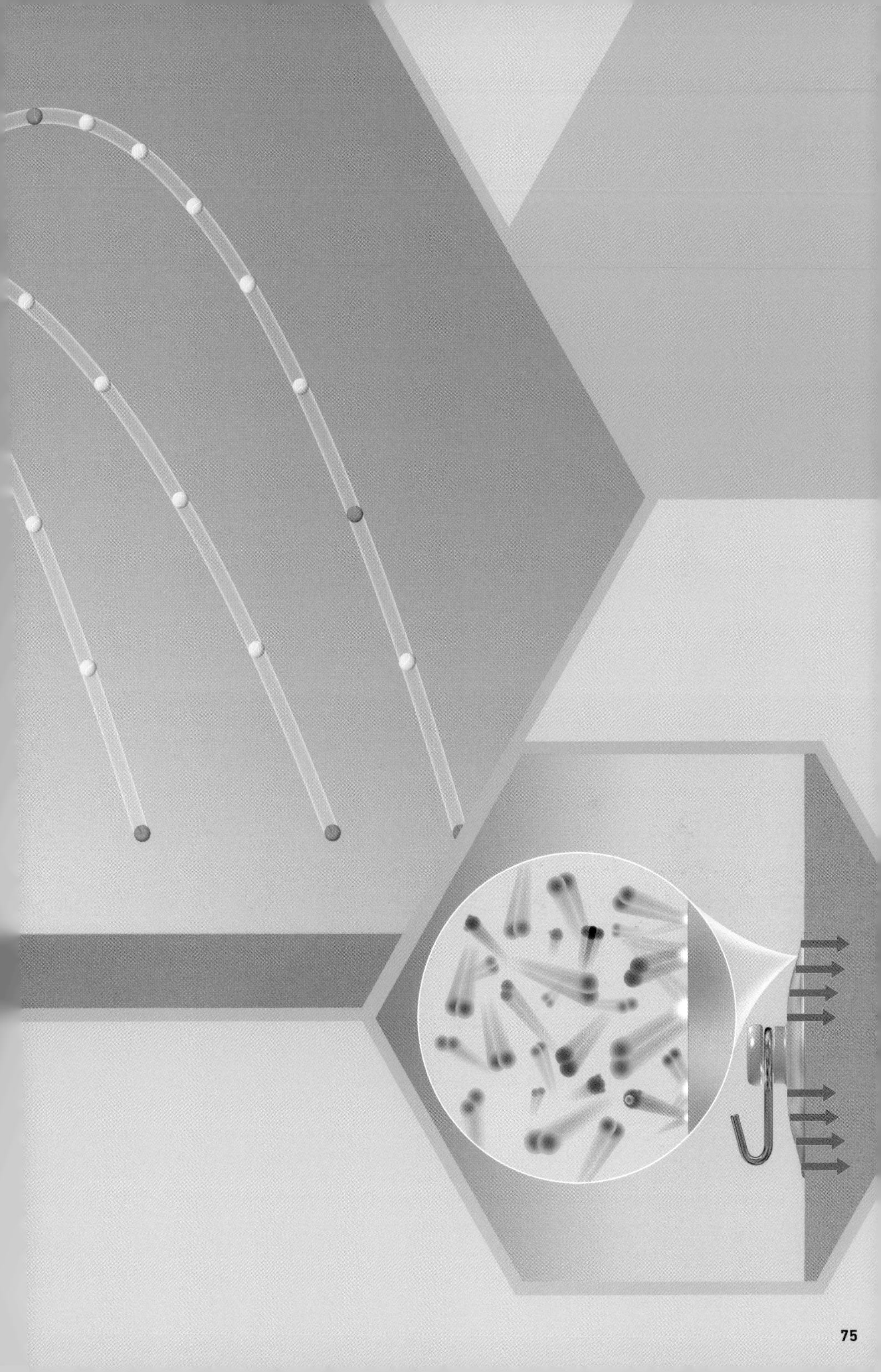

中高の「物理」では、こんな内容を学ぶ

中学理科および高校「物理基礎」で学ぶ主な知識

- 運動とエネルギー
- 運動のあらわし方
- 力学的エネルギー
- 身近な物理現象
- 波の性質
- 音と振動

高校「物理」の単元

さまざまな運動

- 平面内の運動と剛体のつり合い
- 運動量
- 円運動と単振動
- 万有引力
- 気体分子の運動

波

- 波の伝わり方
- 音
- 光

物理は，自然現象などについて観察や実験を行い，背後にある普遍的な物理法則をさぐる分野です。中学校の理科と，それを発展させた高校の「物理基礎」で学ぶ知識が，高校の「物理」の土台となります。

高校の物理は，物理の基本的な概念や原理，法則を体系的に学べるように構成されています。観察や実験などを通じて，物理的な物事や現象を探究する能力を身につけます。そして概念や原理，法則を個別に理解するだけでなく，それらを関連させて，一貫性のあるまとまりとしてとらえられるようにします。

静電気と電流

物質と電気抵抗

電気の利用

科学技術と人間

エネルギーとその利用

物理学がひらく世界

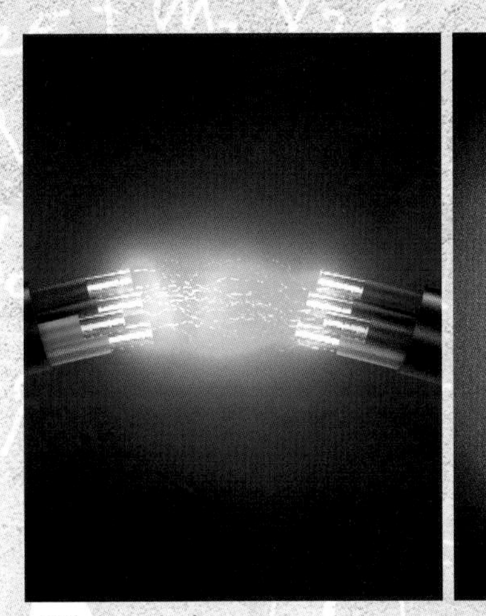

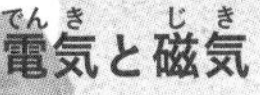

電気と磁気

- 電気と電流
- 電流と磁界

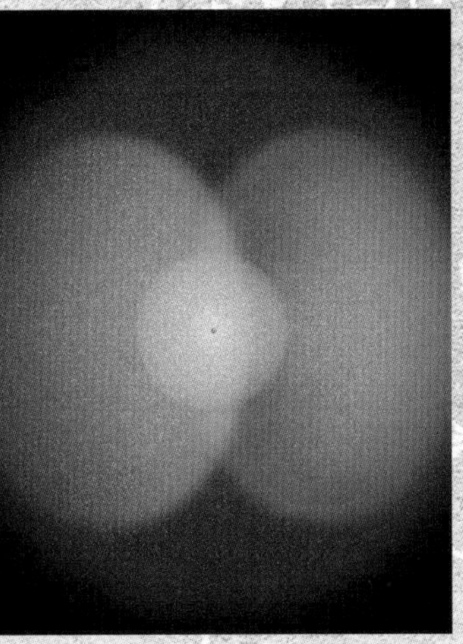

原子

- 電子と光
- 原子と原子核
- 物理学が築く未来

注：2022年4月開始の学習指導要領にもとづく。

エネルギーは，形が変わっても総量は変わらない

私たちのまわりには，「熱エネルギー」「光エネルギー」「運動エネルギー」「位置エネルギー」「電気エネルギー」など，エネルギーが多種多様な形で存在しています。**エネルギーには，形が変わっても総量は変わらないという，重要な性質があります。これを，「エネルギー保存の法則」といいます。**

高台からテニスボールを打ったとしましょう。ことなる角度に同じ速さでサーブを打ったら，着地寸前のテニスボールの速さはどの場合が最も速くなるでしょうか。実は，着地寸前のボールはどれも，同じ速さになります。

この場合，ボールがもつエネルギーは2種類です。一つ目は，ボールの運動の速さで決まる「運動エネルギー」。二つ目は，ボールの位置の高さで決まる「位置エネルギー」です。**この2種類のエネルギーの合計は，つねに一定です。そのため，どの角度に打ちだしたとしても，「同じ高さ」から「同じ速さ」で打ったボールのエネルギーの総量に差はありません。**着地寸前のボールの位置エネルギーにも差がないため，運動エネルギーの大きさも一致し，ボールの速さも同じになるのです。

エネルギー保存の法則

エネルギーには多くの種類があり，さまざまな現象によってエネルギーが変換されます。変換がおきても，エネルギーの総量は決して変わることはありません。これを「エネルギー保存の法則」といいます。

位置エネルギーの大きさ

運動エネルギーの大きさ

上昇によって……
位置エネルギーは増加
運動エネルギーは減少
総量は変化なし

下降によって……
位置エネルギーは減少
運動エネルギーは増加
総量は変化なし

着地寸前のテニスボールの速さは？

力学的エネルギー保存の法則を考えると，同じ高さにあるボールは，同じ位置エネルギー（ボールの緑の領域）と同じ運動エネルギー（ボールのオレンジの領域）をもちます。つまり，着地寸前のボールの速さは同じになるのです。

あらゆる物体の運動に通じる「運動の3法則」

サッカーにみる運動の3法則

サッカーのフリーキックを例に，三つの運動の法則（1～3）をえがきました。

2. 運動方程式（運動の第2法則）

ボールにける力がはたらくと，ボールは加速して動きはじめます。

1. 慣性の法則（運動の第1法則）

地面に置かれたボールは，何もしなければいつまでも動きません。

フリーキックでけったサッカーボールがゴールポストに当たってはねかえるとき，このボールの運動の中には，重要な三つの運動の法則がひそんでいます。

まず，地面に置いたボールは，何もしなければいつまでも動きません。周囲から力を受けなければ，静止している物体は静止しつづけ，動いている物体は一定の速度で動きつづけます。**この法則を，「慣性の法則」といいます。**次にボールをけった瞬間，力を受けたボールが「加速」して動きはじめ，ゴールへ向かって飛んでいきます。物体にはたらく力と運動の関係は，「力(F)＝質量(m)×加速度(a)」という式であらわせます。**この式を，「運動方程式」といいます。**

そしてゴールポストに当たったボールは，ポストに力を加えます。このときボールは，ポストに加えたのと大きさが同じで向きが反対の力を受けます。**この法則を，「作用・反作用の法則」といいます。三つの運動の法則は，あらゆる物体の運動にあてはまります。**

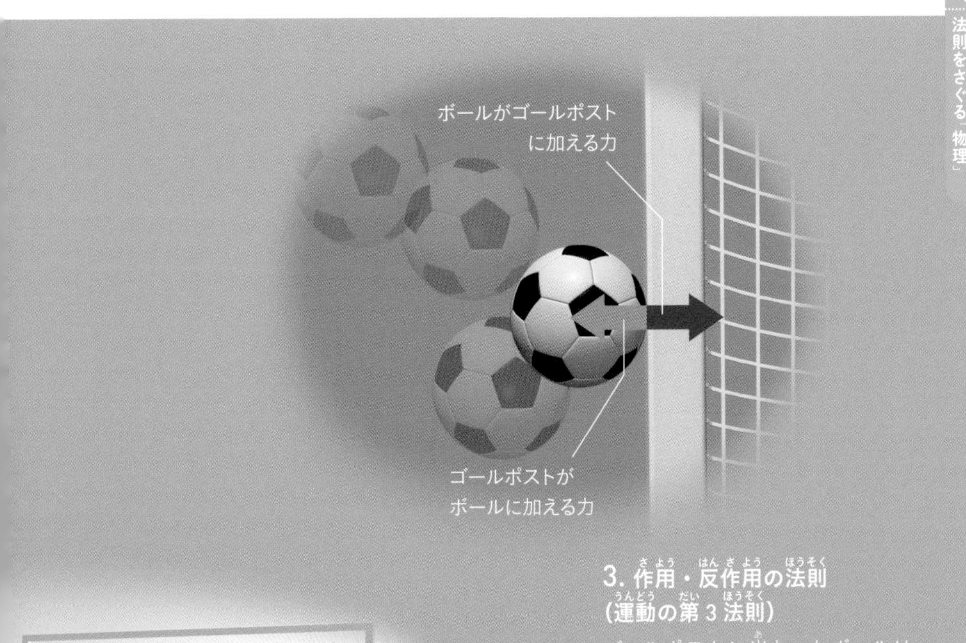

3. 作用・反作用の法則（運動の第3法則）

ゴールポストに当たったボールは，運動の向きを変えてはねかえります。

運動量は，運動の勢いをあらわす量

うしろ向きの運動量がないと，ロケットは前に進めない

運動量保存の法則は，宇宙飛行にも利用されています。宇宙空間で静止したロケットの運動量はゼロです。後方にはきだしたガスの運動量と同じ大きさの運動量で，ロケットは前進しているのです。

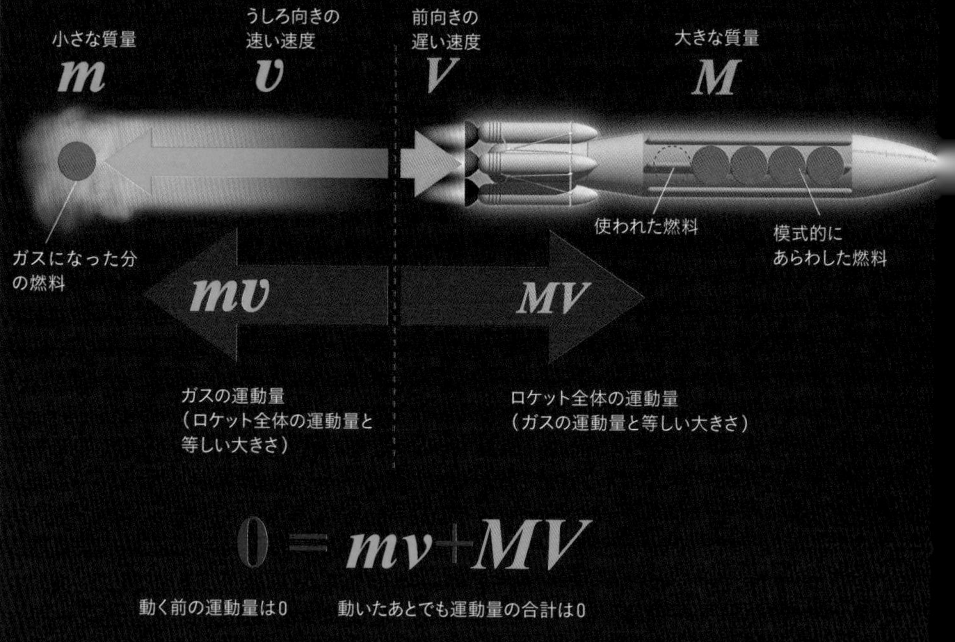

$$0 = mv + MV$$

動く前の運動量は0　　動いたあとでも運動量の合計は0

物体の運動量は，大きな力を加えるほど，また力を加える時間を長くするほど，大きく変化します。**運動量は，物体の運動の勢いをあらわす量です。「運動量＝質量m×速度v」という式であらわされます。**

運動量の変化の量は，「力積」に等しくなります。力積は，物体に作用する力Fと，力Fが作用した時間Δtの積であらわされます。質量mの静止した物体が力積によって速度vを得たとすると，「$mv = F\Delta t$」という式がなりたちます。

キャスターつきのいすに座った人がボールを前に投げると，投げた人はその反動でうしろに動きます（右ページの図）。ボールを投げると，ボールは運動量を獲得します。このとき人は，大きさが同じで向きが反対の運動量を獲得します。結果として，運動量の総和はゼロのままであり，最初の静止状態と同じになります。**これを，「運動量保存の法則」といいます。**

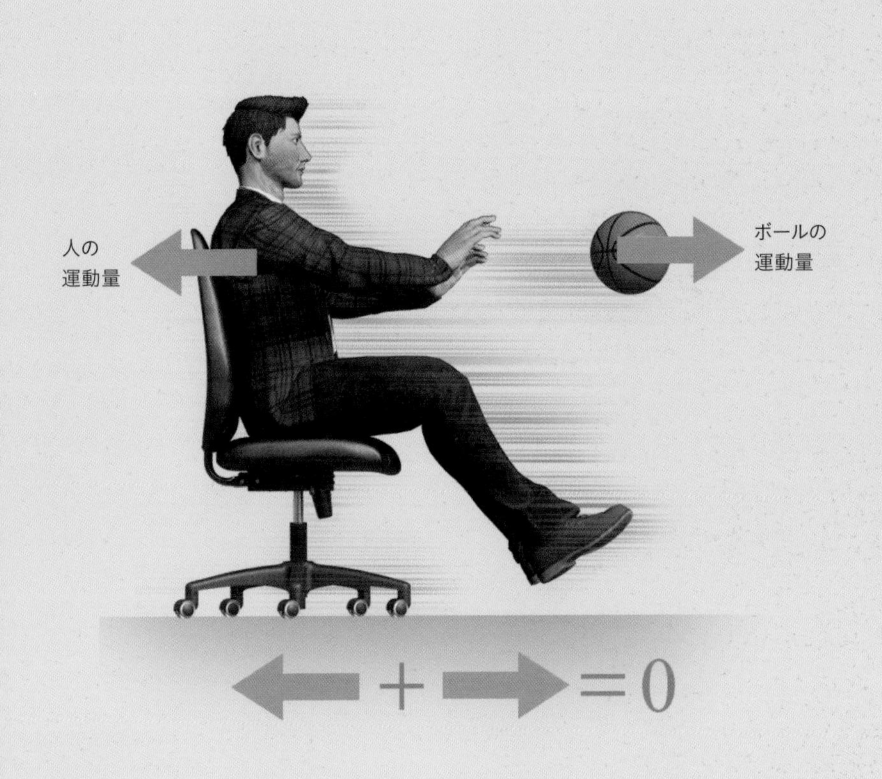

質量をもつ物体には引力がはたらく

質量をもつすべての物体にはたらく万有引力

左ページには万有引力の法則を，右ページには地表での重力のイメージをえがきました。万有引力の法則に出てくるGは，万有引力定数です。

$$万有引力 = G\frac{Mm}{r^2}$$

質量M　質量m

距離r

1666年ごろのある日。アイザック・ニュートン（1642～1727）は，リンゴが木から落ちるのを見て，万有引力の法則を発見したといわれます※。

万有引力とは，質量をもつすべての物体の間にはたらく引力のことです。「二つの物体の間にはたらく万有引力は，二つの物体の質量の積に比例し，物体間の距離の2乗に反比例する」，これが万有引力の法則です（左下の式）。万有引力の法則に出てくるGを，万有引力定数といいます。

※実際にリンゴを見て気づいたかは諸説あり不明。

万有引力と重力は，天文学の分野では同じ意味ですが，地球科学の分野では，区別して使うこともあります。

地球は自転しているので，あらゆる物体は遠心力（回転運動している物体にはたらく，中心から遠ざかる方向に向かう見かけの力）を受けます。**この遠心力と万有引力を合わせた力（合力）が，地表での重力です。ただし，地表での遠心力は万有引力にくらべてきわめて小さいため，地表での重力は万有引力とほぼ等しいといえます。**

地表での重力

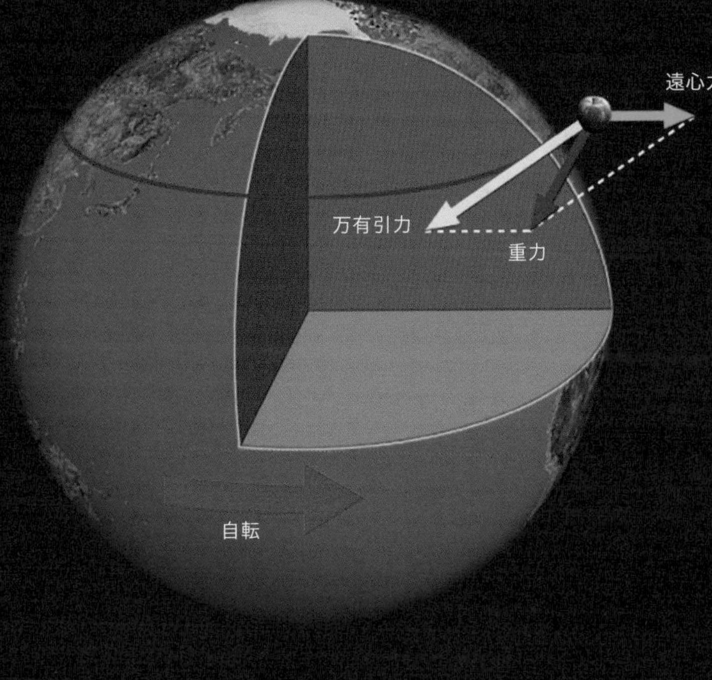

注：上の図では，遠心力を誇張してえがいている。

コーヒーブレイク
COFFEE BREAK

長年の常識を否定したガリレオの発見

重い物ほど速く落下する？

重い鉄の球

軽い木の球

アリストテレスの誤った考え方が，長い間信じられてきました。

重い球と軽い球を連結して落とすと？
（ガリレオの思考実験）

軽い球がブレーキをかける分，重い球だけのときより遅く落ちるという考えと，二つの球の合計の重さがふえる分，重い球だけのときより速く落ちるという考えの2通りの見方ができる矛盾を指摘しました。

古代ギリシャの哲学者アリストテレス（紀元前384～前322）は，「重い物ほど速く落ちる」と考えました。重い鉄は，軽い羽毛より明らかに速く落下するので，このように考えるのは当然のように思えます。

しかし，イタリアの科学者ガリレオ・ガリレイ（1564～1642）は下に示したような思考実験※を行い，「重い物も軽い物も，本来は同じ速さで落下する。羽毛がゆっくり落ちるのは，羽毛が鉄球よりも空気抵抗を強く受けるからだ。もし真空をつくれたら，鉄も羽毛も同じように落下するはずだ」と主張しました。

この考えはのちに真空中での実験で，実証されました。

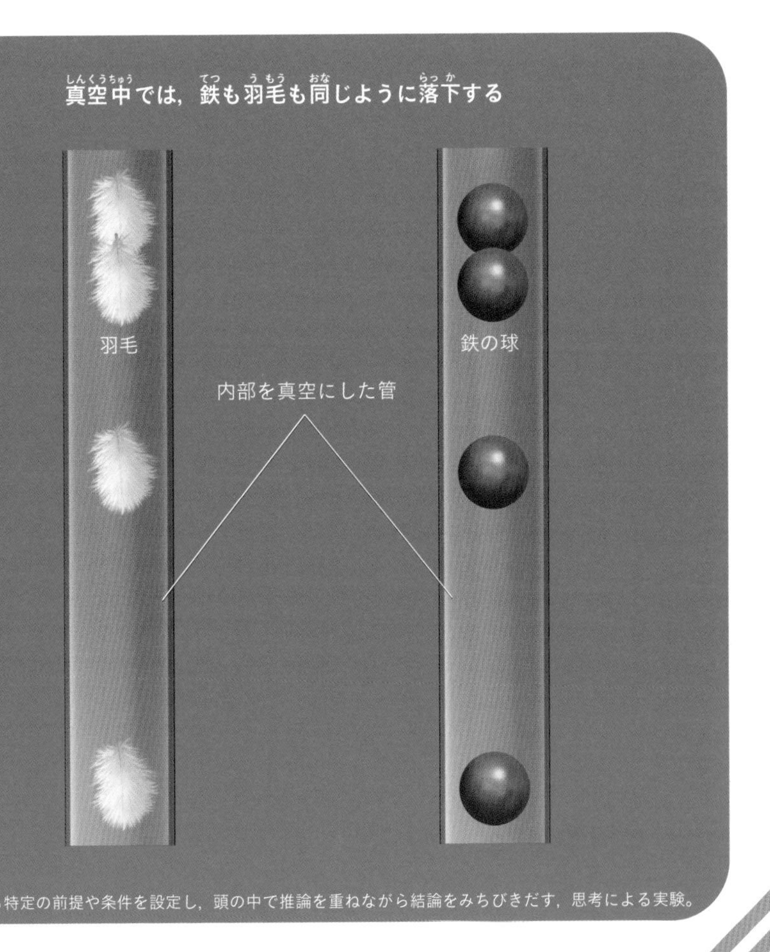

※：ある特定の前提や条件を設定し，頭の中で推論を重ねながら結論をみちびきだす，思考による実験。

気体の圧力は，温度が低くなるほど小さくなる

吸盤が壁にくっつくのは，気圧のおかげです。**気圧とは，大気による圧力（面に対して垂直にはたらく力）のことです。その正体は気体分子の衝突です。**気体分子1個の衝突による力は非常に小さいですが，すべての衝突を合計すると，無視できないほどの大きな力になります。この力が気圧を生みだすのです。

吸盤を壁にくっつけると，吸盤と壁の間にはほとんど空気がなくなるので，吸盤を壁から引きはなす向きの圧力は非常に弱くなります。一方，吸盤を壁に押しつける向きには，1気圧がかかります。そのため，吸盤はほぼ1気圧の圧力で壁に向かって押しつけられ，壁にくっつくのです。

気体の圧力は，温度が低くなるほど小さくなります。気体の圧力P，体積V，温度Tの関係をあらわした式を「気体の状態方程式」といい，$PV = nRT$と書かれます。nは物質量，Rは気体定数です。

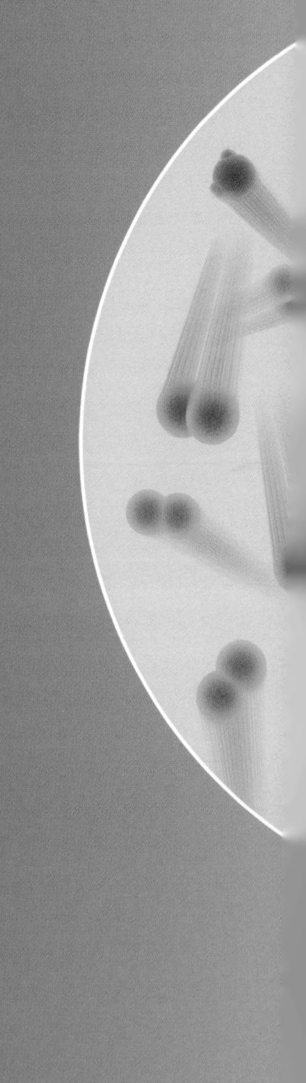

気体分子の衝突が，吸盤を壁にくっつける

吸盤を壁にくっつけると，吸盤と壁の間の空気が押しだされ，圧力が小さくなります。すると，周囲の空気の圧力のほうが大きくなるため，吸盤は壁に押しつけられてくっつきます。ごく小さな気体分子の運動が，吸盤が動かなくなるほどの力を生んでいるのです。

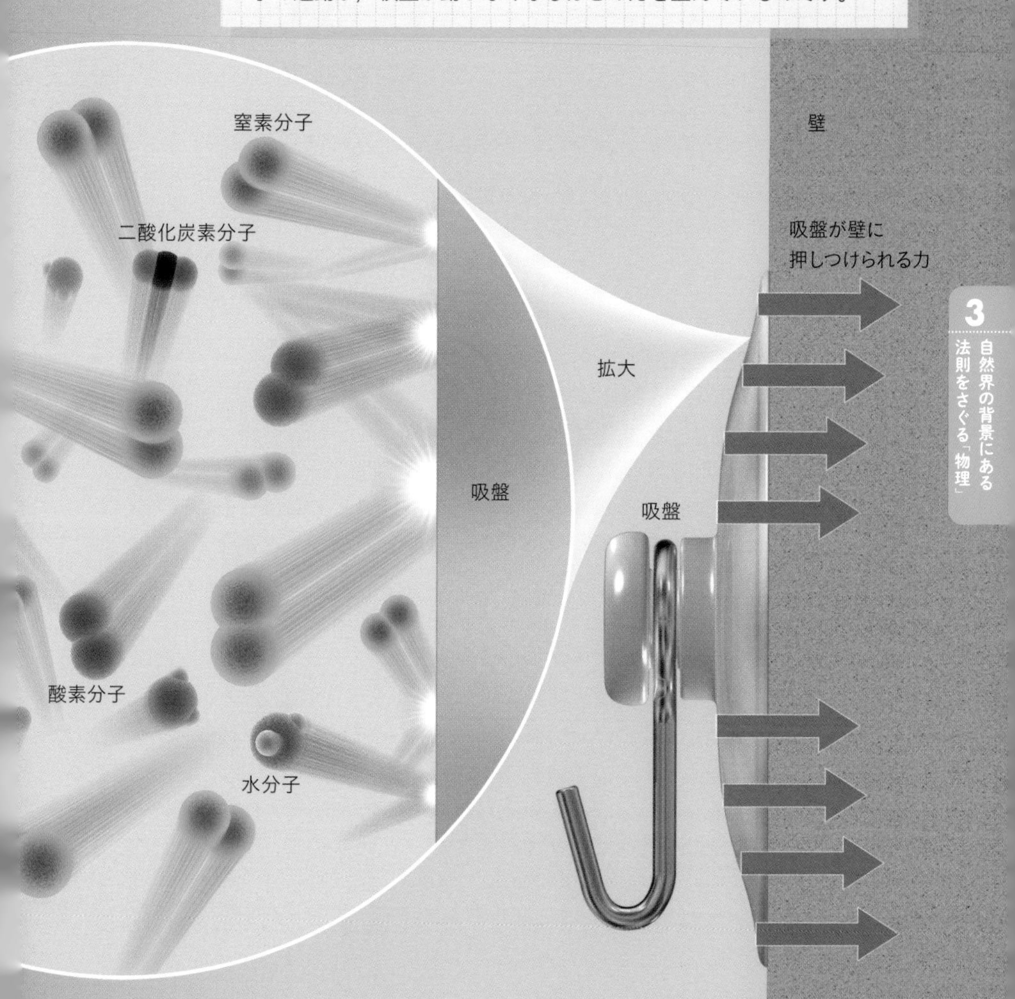

音も，光も，電子もすべて「波」

さまざまな波の現象

波には，「回折」「干渉」「反射」「屈折」といった現象をおこす性質があります。

水たまりに雨粒が落ちると，雨粒の落ちた場所を中心にして同心円状に「波」が広がっていきます。**波とは，ある場所から周囲へと振動が伝わっていく現象です。**水面の波は，雨粒が落ちることで生じた水面の振動が，次々と周囲の水をゆらして伝わっていきます。

このとき，水そのものが波の進行方向へ進んでいくわけではありません。ある場所の水面がその場所で上下に運動し，その上下の運動がすぐとなりの場所へ次々と伝わっていくだけなのです※。このように，波の進行方向に対して垂直に振動する波を「横波」といいます。

私たちの身のまわりは，たくさんの波に満ちています。たとえば，音も波です。音は，スピーカーなどで生じた空気の振動が波として周囲に伝わっていく現象です。音波は水面の波とはちがって，空気の振動する方向は，波の進行方向と同じになっています。このような波を「縦波」といいます。

また，光は空間の性質である「電場」と「磁場」の振動がきわめて速い速度（真空中で秒速30万キロメートル）で伝わる横波です。

ほかにも，地震によって「地震波」が発生します。地中深くで岩盤がこわされるときの振動が波として周囲に伝わり，それが地表まで届くと地震として感じられるのです。なお，地震では縦波と横波の両方が発生します。

ミクロの世界を支配する「量子力学」という物理理論では，普通は粒子としてあつかわれる原子や電子も波の性質をもつと考えます。

※：水面の波の場合は，正確にいうと，波の各点が楕円運動をしている。

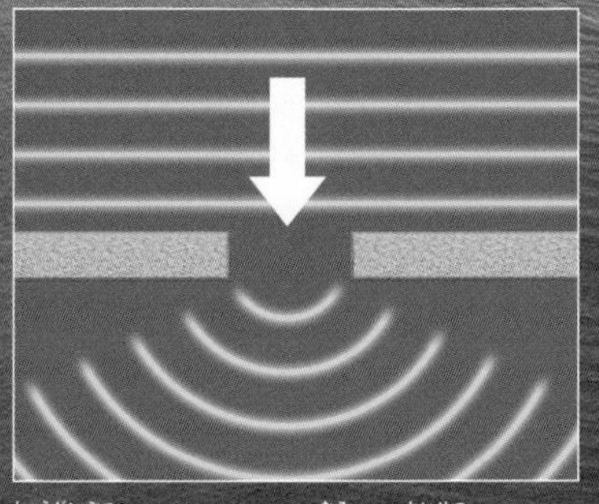

障害物をまわりこむ，波の「回折」

防波堤のすき間を通った波は，防波堤のうしろへまわりこんでいきます。波は障害物があっても，そのうしろへまわりこむ性質をもっているのです。これを「回折」といいます。

入射角
反射角
反射した波の進行方向
空気
ガラス
屈折した波の進行方向
屈折角

境界面でおきる波の「反射」と「屈折」

波が反射するとき，「入射角」と「反射角」は等しくなります。これを「反射の法則」といいます。また，波が物質に斜めに進入したとき，ことなる物質中では波の進む速度が変わるため，波の進む向きが変わります。これが「屈折」です。

音の高さは，音の波長で決まる

音源が動くと波長が変わる

救急車のサイレンの音（音波）の広がりを模式的に示しました。救急車の前方と後方にいる人（音の観測者）に，音波がどのように変化して届くかを，それぞれの観測者の上に示しました。

接近中は音が高く聞こえる

救急車の前方の人には，音の波長が短く（音が高く）なって届きます。

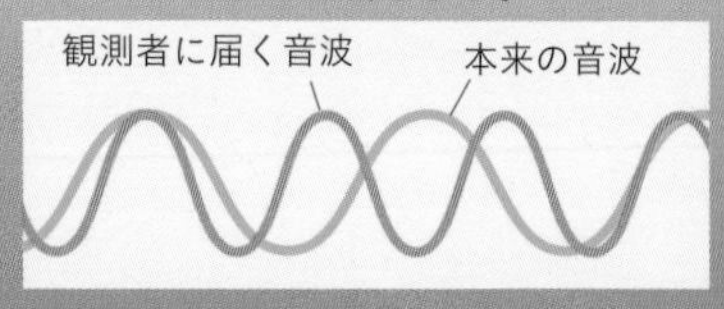

観測者

波長が短くなって届く

救急車

0.1秒前に出た音

出た直後の音

0.2秒前に出た音

0.3秒前に出た音

0.4秒前に出た音

0.5秒前に出た音

サイレンを鳴らしながら走る救急車が近づいてくると，音は高く聞こえます。一方，遠ざかるときは，低く聞こえます。**この現象を，「ドップラー効果」といいます。**

音の高さは，音の周波数（波長）によって決まります。周波数とは1秒間に波が振動する回数のことで，振動数ともよばれ，「周波数＝音速／波長」であらわされます。**周波数が大きいほど音は高くなり，小さいほど音は低くなります。**

救急車の前方では，ある波から次の波が到達するまでの時間が短くなります。すると周波数が大きくなるので，音は高く聞こえるのです。逆に後方では，音の周波数が小さくなります。そのため，救急車が遠ざかるときは，音が低く聞こえるのです。

動いている物体に音波を当てて反射させると，反射波はもとの周波数とはことなるものになります。**これは，音波を当てた物体が動いているためにおきるドップラー効果です。また，光も波であるため，光のドップラー効果が生じます。**

遠ざかるときは音が低く聞こえる
救急車の後方にいる人には，音の波長が長く（音が低く）なって届きます。

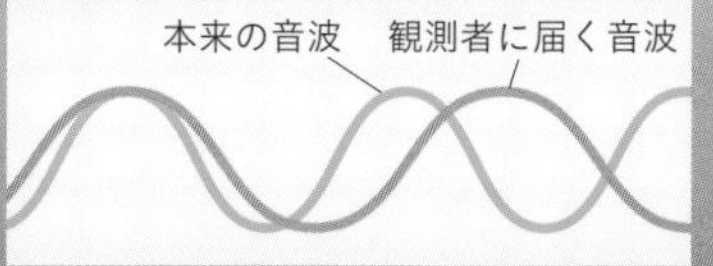

静止時の音波
救急車が止まっているときは，救急車の周囲のどこにいようと，同じ波長（振動数）の音が聞こえます。

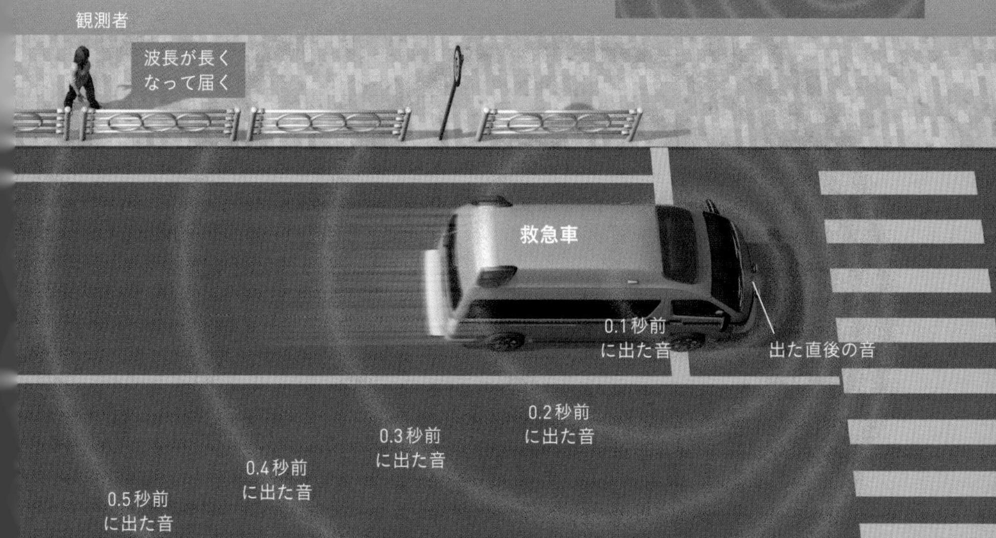

光が凹レンズを通過すると，広がって進む

近視の矯正

右に正常な人の目（A），近視の人の目（B），遠視の人の目（C）をえがきました。近視用のメガネは凹レンズを使って，遠視用のメガネは凸レンズを使って，焦点までの距離を修正します。

中央部が周辺部よりも厚いレンズを凸レンズ，薄いレンズを凹レンズといいます。また，レンズの中央の面に垂直な直線を光軸とよびます。

光軸に平行な光が凸レンズを通過すると，光軸上の1点に集まります。**この点を，凸レンズの焦点といいます。**一方，光軸に平行な光が凹レンズを通過すると，光軸上の手前のある1点から広がって進むような軌跡をえがきます。**この点を，凹レンズの焦点といいます。焦点からレンズまでの距離を焦点距離といいます。**

近視用のメガネには，凹レンズが使われています。近視とは，眼球の奥行き（眼軸長）が長いなどの理由により，目に入った光が網膜の手前で1点に集まってしまう症状です。凹レンズを用いて光をいったん広げることで，光が集まるまでの距離を長くして，網膜上に焦点を結ぶように矯正しています。

一方，遠視用のメガネやカメラのレンズには，凸レンズが使われます。遠視は，網膜の先に焦点が行ってしまう症状です。凸レンズによって，光が網膜上に集まるように矯正しています。

カメラは凸レンズで光を集める

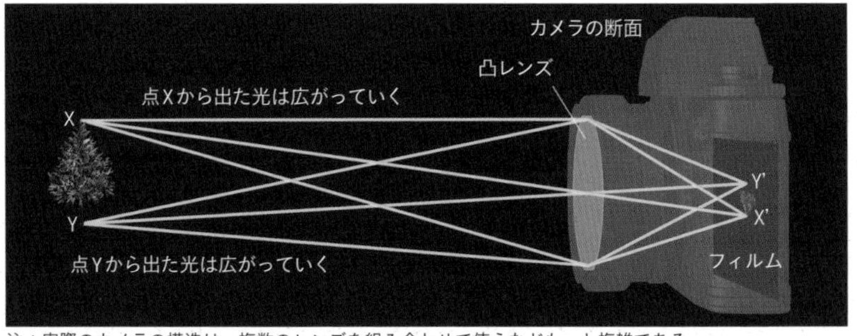

注：実際のカメラの構造は，複数のレンズを組み合わせて使うなどもっと複雑である。
ここでは基本原理を説明するためにカメラの構造を簡略化してある。

A ヒトの目の断面

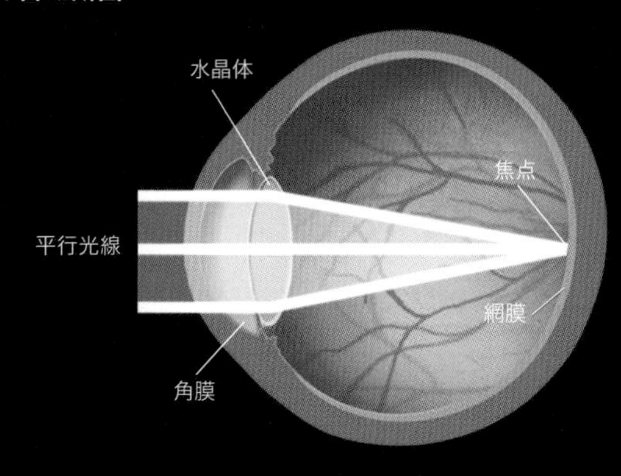

正常な目
水晶体は，遠くを見るときは薄くなり，近くを見るときは厚くなることで，ピント調節を行っています。光（平行光線）は網膜上で焦点を結びます。

B 近視の人の目の断面

近視の人は，網膜の手前で焦点を結ぶため，「屈折のさせすぎ」と考えることができます。

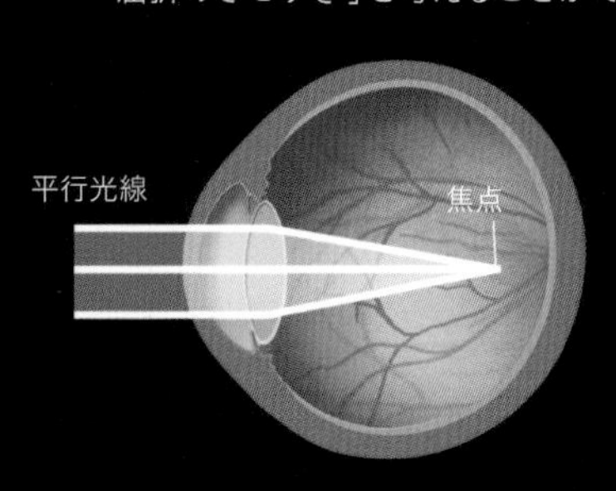

近視用のメガネは凹レンズ

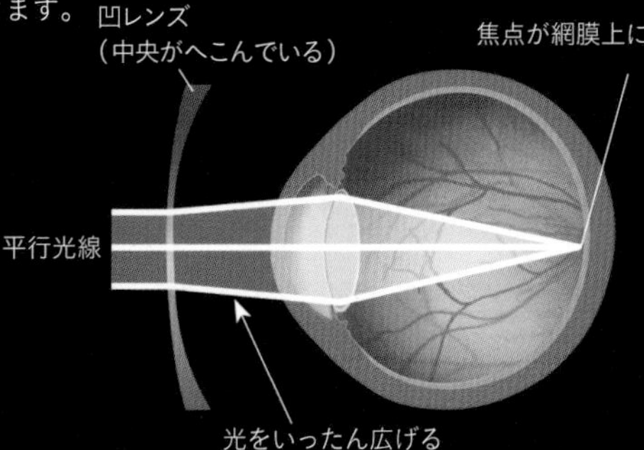

C 遠視の人の目の断面

遠視の人は，網膜のうしろで焦点を結ぶため，「屈折が足りない」と考えることができます。

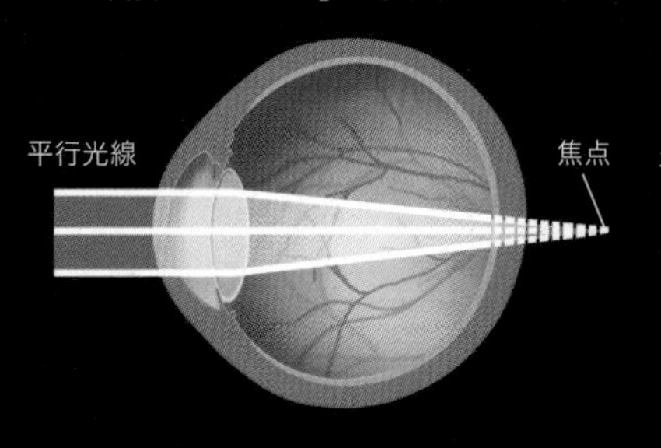

遠視用のメガネは凸レンズ

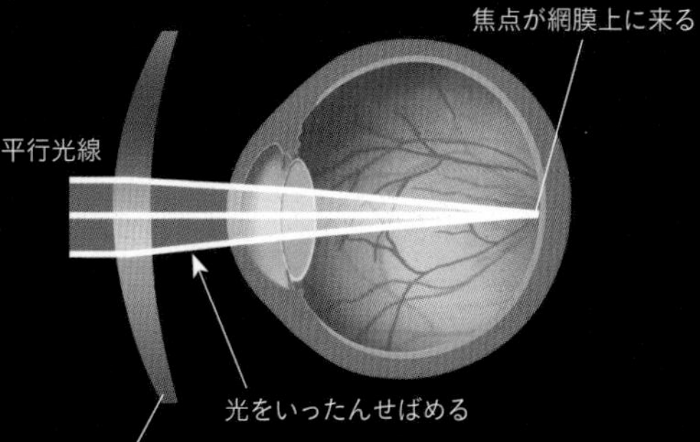

注：当然，網膜よりうしろには光は行かない。図ではあくまで光線を延長して考えた場合の焦点を示した。

光は，波長ごとに名前がつけられている

電磁波（電波）

電磁波とは，電場と磁場の向きと大きさが振動しながら進む波です。空間のある点に注目すると，電場と磁場の矢印は，時々刻々，大きさと向きを変えます。電場・磁場ともに波の進行方向に対して直交する方向に振動する横波です。

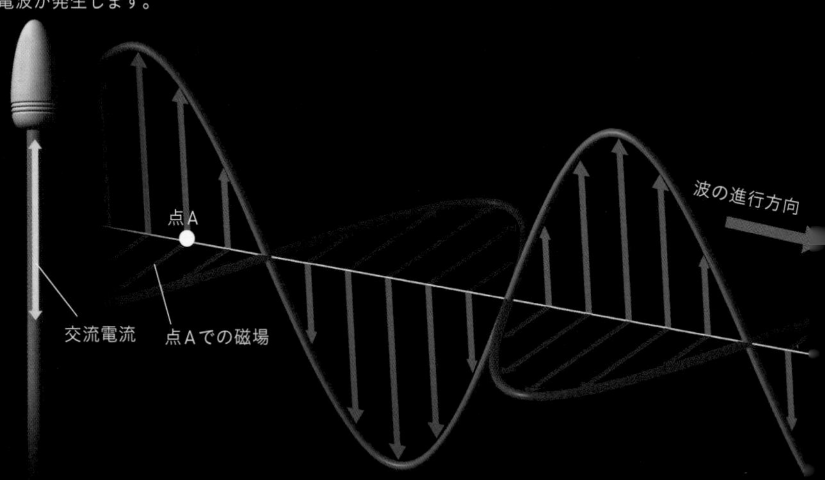

ヒトの目でとらえられる光を,「可視光線」といいます。可視光線の波長は, 380 ナノメートル※前後から800 ナノメートル程度です。可視光線よりも波長が長い光を「赤外線」, 赤外線よりもさらに波長が長い光を「電波」といいます。逆に, 可視光線よりも波長が短い光を「紫外線」, 紫外線よりも波長が短い光を「X 線」, さらに短い光を「ガンマ線」といいます。**これらの波長のことなる光をまとめて,「電磁波」といいます。**

電磁波の正体は,「電場」と「磁場」を連続的に発生させながら伝わっていく波です。電流を流すと磁場が発生し, 電流の変動にともなって磁場も変動します。磁場が変動すると電場が発生し, 磁場の変動とともに電場も変動します。するとまた磁場が発生……というように, 電場と磁場が発生し, その変動が波として周囲に伝わっていきます。これが電磁波です。電場(もしくは磁場)の変動を示す波において, ある山から次の山までの距離が, 電磁波の波長です。

※:ナノ (n) は極小の長さをあらわす単位。1nm = 10^{-9}m。

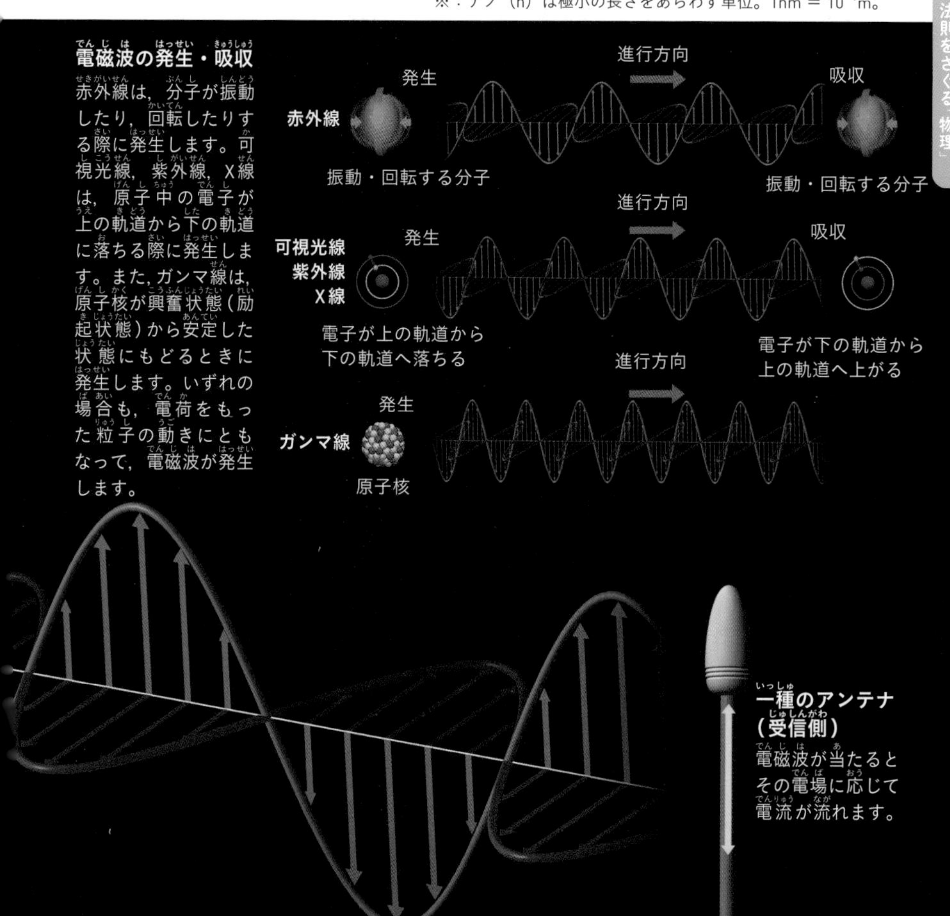

コーヒーブレイク

COFFEE BREAK

シャボン玉が七色に光るわけ

シャボン玉に光が当たると，一部の光はシャボン玉の薄い膜の表面で反射しますが，一部は膜の中に入って膜の底面で反射し，ふたたび表面から出ていきます。**つまり，シャボン玉の「膜の表面で反射した光」と「膜の底面で反射した光」が，膜の表面で合流してから，私た**

ちの目に届いているのです。

膜の底面で反射した光は，膜を往復した分だけ，わずかに長い距離を進んでいます。その結果，両者の間で，波の「山や谷の位置（位相）」がずれます。すると合流した二つの光の波は，山どうしが重なって強め合ったり，山と谷が重なって弱め合ったりするのです。**この現象を「干渉」といいます**（右ページ上の図）。

写真のように本来は無色透明なシャボン玉に色がついて見えるのは，シャボン玉の膜の表面で光の干渉がおきているためなのです（右ページ下の図）。

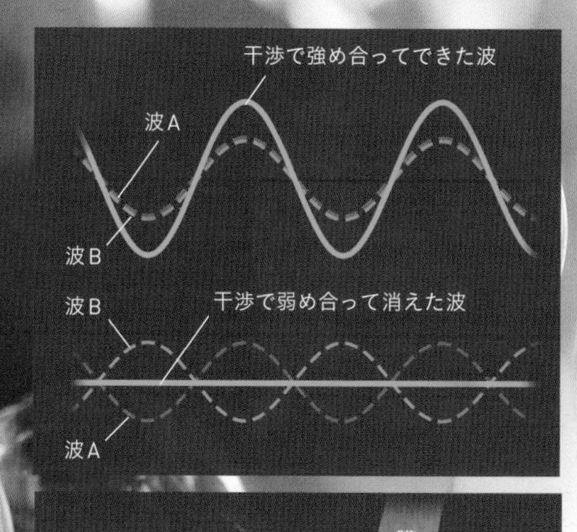

強め合う干渉，弱め合う干渉

二つの波AとBが干渉する場合，山どうしや谷どうしが重なって強め合う場合（上側）と，山と谷が重なって弱め合う場合（下側）があります。

シャボン玉の膜でおきる光の干渉

シャボン玉の膜の表面では，二つのことなる経路を進んだ光が干渉し，特定の波長（色）の光を強め合ったり弱め合ったりします。その光が，観測者の目に届きます。

磁石を動かすと電気が流れる「電磁誘導」

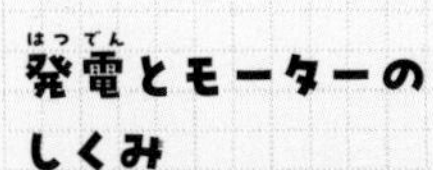

発電とモーターのしくみ

発電のしくみ（1）とモーターが回転する原理（2）を模式的に示しました。発電機もモーターも，磁石とコイルの組み合わせでできています。

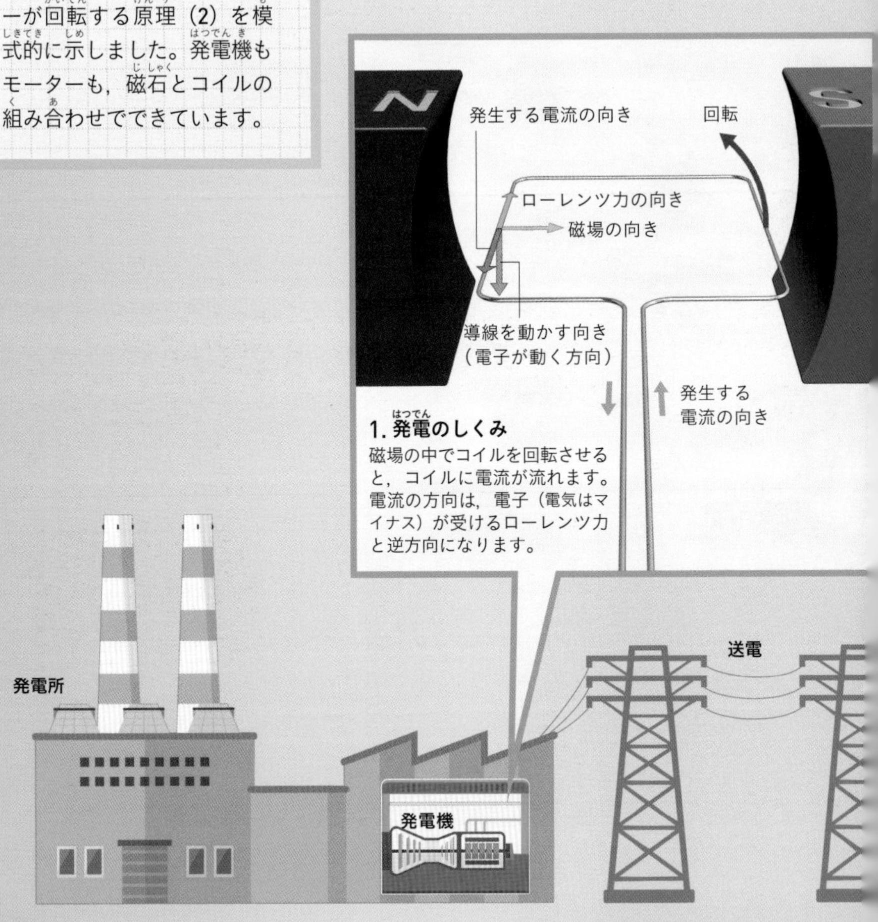

1. 発電のしくみ

磁場の中でコイルを回転させると，コイルに電流が流れます。電流の方向は，電子（電気はマイナス）が受けるローレンツ力と逆方向になります。

発電所では，金属の導線を環状にしたコイルを磁石のそばで回転させて，電気（電流）を生みだしています。この現象は「電磁誘導」といいます。

磁石のまわりには，N極からS極の向きに「磁場」が生じています。磁場とは，磁力を生みだす空間の性質のことです。この磁場の中で，電子のような電気をおびた粒子が動くと，粒子は「ローレンツ力」という力を受けます。**この力によって，コイルに電子の流れ，すなわち電流が生じるのです**（1）。

電気掃除機を使うとき，回転するモーターは磁石のそばにあるコイルに電流を流して，回転運動を生みだしています。コイルに電流を流すと，電子がコイル内を移動します。磁場の中で電子が動くと，電子はローレンツ力を受けます。この力によってコイルが回転します（2）。**このように，発電もモーターの回転も，電気と磁気の法則によるものなのです。**

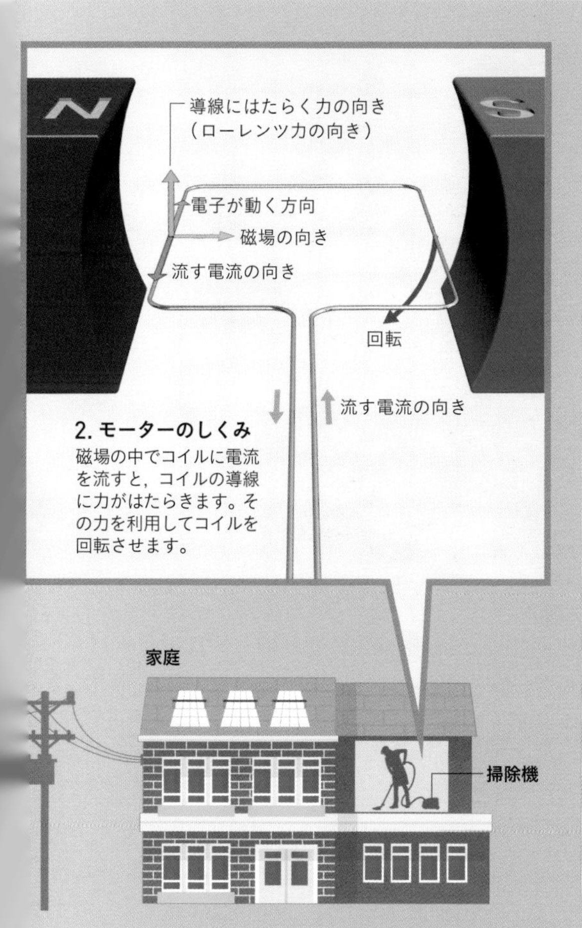

2. モーターのしくみ
磁場の中でコイルに電流を流すと，コイルの導線に力がはたらきます。その力を利用してコイルを回転させます。

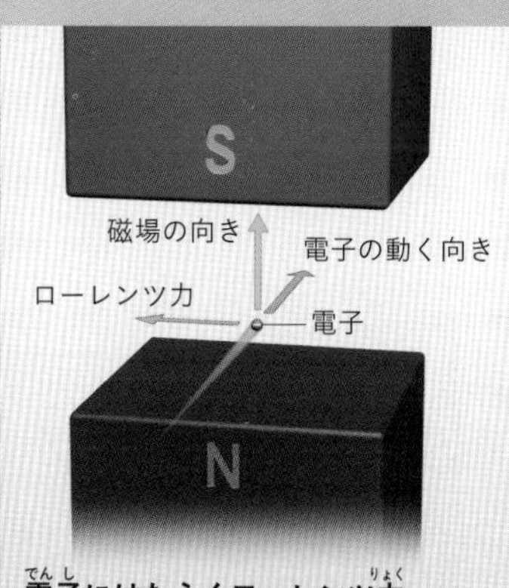

電子にはたらくローレンツ力
電気をおびた粒子が磁場の中を運動すると，粒子は，磁場の向きと粒子の運動の向きの両方に垂直な方向に力を受けます。この力を「ローレンツ力」といいます。マイナスの電気をおびた粒子である電子が磁場の中を運動すると，上の図のような向きに力を受けます。

電流を生みだす「電圧」，電流をさまたげる「抵抗」

電流は，川の水が標高の高い場所から低い場所に向かって流れるように，「電位」の高いところから低いところに流れます。電位は，電池のプラス極に近いほど高くなります。

ある地点とある地点の電位の差を「電圧（電位差）」とよびます。電圧の単位は「V（＝W/A）」です。W/Aは，電力÷電流を意味します。**電圧は，電流の通り道を“坂道”にするようなもので，電流を押し流す作用にあたります。**落差の大きい水路ほど水が勢いよく流れるように，電圧が高い（電位の差が大きい）ほど，電流を流すはたらきも強くなります。

導線や電球などには，電気の流れをさまたげようとする「抵抗」が生じます。電流，電圧，抵抗の三つの関係を示しているのが，「オームの法則」です。

抵抗の値は，導線の種類や形状によってことなります。同じ導線で電気を流す場合は，抵抗の値が決まっているので，より大きな電流を流したいときには，その分，高い電圧が必要になります。

また，より抵抗の大きな導線に同じ大きさの電流を流したい場合は，その分，高い電圧が必要になります。逆の見方をすれば，より抵抗の大きな導線に，同じ高さの電圧しかかけられない場合は，その分，流れる電流も小さくなるということです。

電圧と電流の関係

水が標高の高い場所から低い場所へと流れるように，電流も電位の高い場所から低い場所へ向かって流れる性質をもちます。右上の図では水位差を生みだす原動力としてポンプをえがいていますが，電圧を生みだす原動力は電池や発電機です（右下の図）。

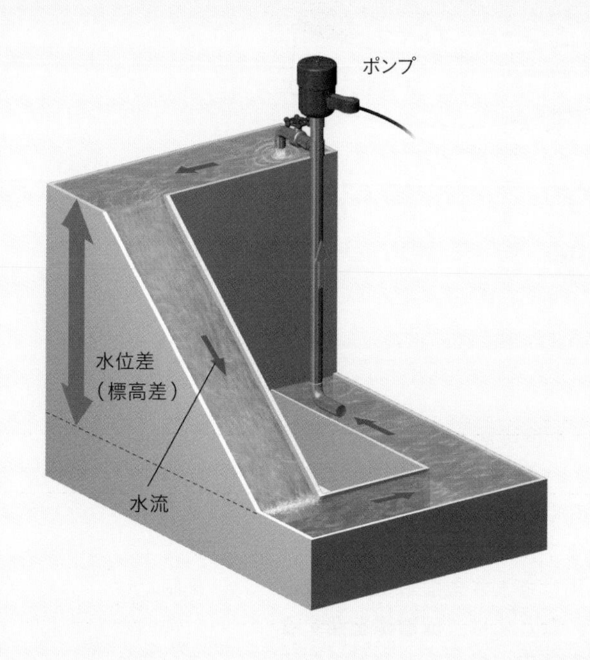

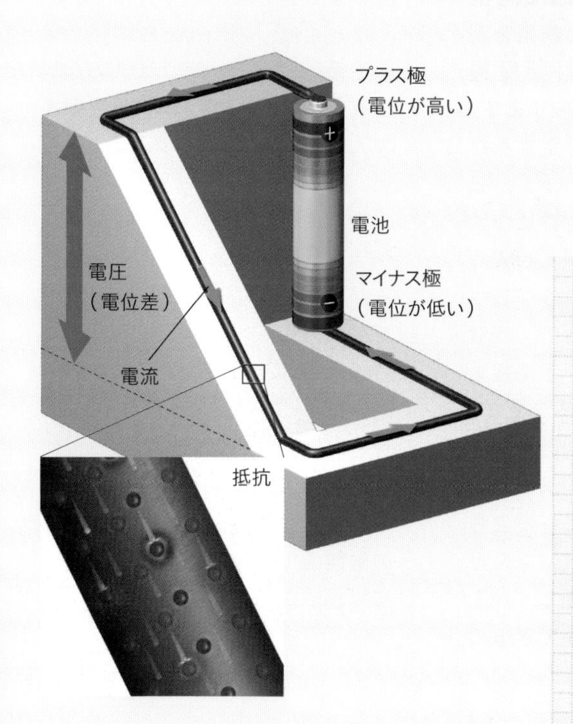

オームの法則

電池には，電流を流そうとするはたらきがあり，その大きさを「電圧」といいます（左の図）。流れる電流の大きさI (A) は，電圧の大きさV (V) に比例し，抵抗の大きさR（Ω）に反比例することが知られています。この関係を「オームの法則」といい，下の式であらわされます。

$$I = \frac{V}{R} \quad \text{または，} \quad V = RI$$

コーヒーブレイク

COFFEE BREAK

物理学×生物学

物理学と生物学の知見を医療に応用

放射線の医学への応用の例といえば，真っ先に思い浮かぶものは「レントゲン検査」だと思いますが，ほかにも放射線の医学応用はさまざまな形で進んでいます。**たとえば，放射線を発する物質を体内に投与し，放射線を観測することでがんなどの病気を調べる「PET（陽電子放射断層撮影）」とよばれる技術があります。**がんの大きさや場所を特定するために行うPET検査では，まず，放射線を放つ物質をブドウ糖につけて患者に投与します。がん細胞は，正常な細胞の約3～8倍のブドウ糖を細胞内に取りこむので，放射線を観測してブドウ糖が多く集まっている場所をみつけることで，がんの大きさや場所，進行の度合いを測定するのです。

放射線はがんの治療にも役立ちます。がん細胞に強い放射線を当てることで，DNAを切断し，がん細胞を死滅させることができるのです。しかし，治療の際に正常な細胞にも放射線が当たってしまうと，下痢や吐き気などの副作用がおきてしまいます。そこで，がん細胞だけにうまく放射線を当てるためのさまざまな技術が開発されています。

たとえば，「IGRT（画像誘導放射線治療）」という技術があります。これは，MRI（磁気共鳴画像）などの人体内部を透かして見る装置を用いて，照射直前や照射中の患者の臓器の位置を把握し，呼吸や消化活動などに応じてたえず移動するがんの病巣に正確に放射線を当てることができる技術です。「MRIdian」という医療機器は，MRIによってほぼリアルタイムに患者の臓器の位置を撮影し，それに応じてX線を照射することができる装置です。**このように，医療の最前線でも，物理学と生物学の知見がいかされているのです。**

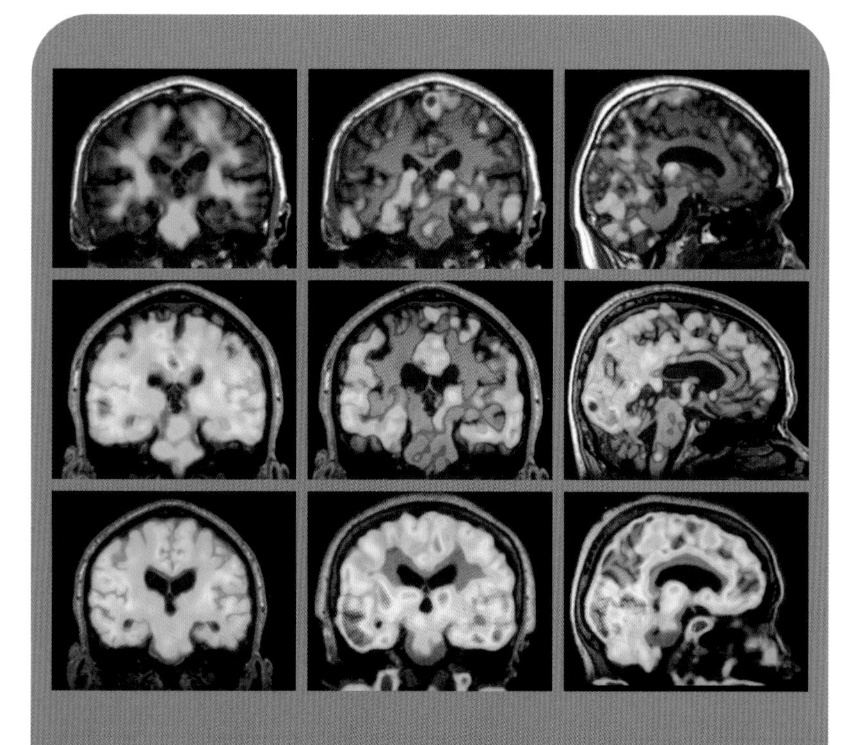

「PET」を用いた検査でアルツハイマー病の進行状況を調べる

上の画像は，「アミロイドPET（左の1列）」と「タウPET（その他）」という技術によって得られた脳の画像です。「アミロイドβ」や「タウ」というタンパク質の量によって色分けされており，青から緑，黄，赤になるにつれて，蓄積量がふえていることを意味します。アルツハイマー病（アルツハイマー型認知症）では，脳内にアミロイドβやタウが蓄積することがきっかけとなり，記憶障害などの認知症の症状が出るのではないかと考えられています。

4

地球や宇宙のダイナミックな変動「地学」

人間の営みに歴史があるように，地球や宇宙にも誕生から現在までの歴史があります。地球のなりたちや，地球の大地や大気や海洋，そして地球をとりまく宇宙について知る学問が「地学」です。4章では，地学についてみていきましょう。

中高の「地学」では，こんな内容を学ぶ

中学理科および高校「地学基礎」で学ぶ主な知識

- 身近な地形や地層，岩石の観察
- 火山活動と火成岩
- 地球の形と大きさ
- プレートの運動
- 地球内部の層構造
- 火山活動と地震

高校「地学」の単元

地球の概観
- 地球の形状
- 地球の内部

地球の活動と歴史
- 地球の活動
- 地球の歴史

地学は，地球のなりたちや，地球の大地や大気や海洋，そして地球をとりまく宇宙について知る分野です。中学校の理科と，それを発展させた高校の「地学基礎」で学ぶ知識が，高校の「地学」の土台となります。

高校の地学は，身近な地球環境から宇宙全体まで，時代や規模のことなるさまざまな内容を学べるように構成されています。また，自然災害を引きおこす自然現象では，その自然災害についても学びます。観察や実験などを通じて，地学の基本的な概念や原理，法則を理解し，探究する能力を身につけます。

気象観測
天気の変化
大気と海洋
地球の自転と公転
月や金星の見え方
宇宙，太陽系と地球の誕生

地球の大気と海洋

- 大気の構造と運動
- 海洋と海水の運動

宇宙の構造

- 太陽系
- 恒星と銀河系
- 銀河と宇宙

注：2022年4月開始の学習指導要領にもとづく。

地震や火山噴火の原因は，地球をおおうプレートの動き

大地は不動ではなく，ゆっくりした速度で，確実に動いています。

地球の内部の構造は，成分のちがいなどによって，外側から順に「地殻」「マントル」「外核」「内核」に分かれています（下の図）。マントルの大部分と外核は，高温のため流動的です。一方，マントルの最上部と地殻は，冷えてかたい岩石の層になっています。**このかたいマントル最上部と地殻を，「プレート」といいます**。プレートは10数枚あり，それぞれゆっくり動いています。

プレートを動かす原動力は，地球内部の熱です。地球は地下深いほど温度が高く，内核の温度は約6000℃にも達します。

地球の内部には，マントルの深部からゆっくりわき上がる上昇流や，地表から沈みこむ下降流があることがわかっています。これらは，マントルが地球内部の熱を外へ逃がすように，「対流」していることを示しています。プレートは，その対流に乗って移動しているのです。**このように，プレートの運動によって地震や火山などの現象を統一的に説明する理論を，「プレートテクトニクス」といいます。**

地球の内部構造

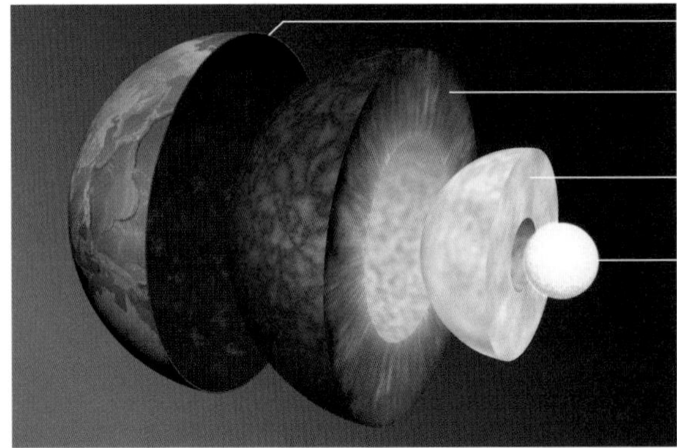

地殻
最も表層にある岩石の層

マントル
主にケイ酸塩岩からなる岩石

外核
鉄を主成分とするとけた金属

内核
鉄を主成分とする固体の金属

プレートの動きで，大規模な地形がつくられる

アイスランド・シンクヴェトリル国立公園は，北アメリカプレートとユーラシアプレートによって生まれた「大西洋中央海嶺」の真上にあります。海嶺はプレートが生まれる場所で，海嶺を中心としてプレートが両側に引きはなされるような力がはたらき，写真のような裂け目がつくられました。この裂け目を裂谷（ギャオ）といいます。シンクヴェトリル国立公園は，海嶺が地上に露出している世界でも珍しい場所で，本来は海底でしか見られないダイナミックな裂谷を地上で見ることができます。

火山活動が，さまざまな鉱物を生みだした

地下深いところでは，岩石が地球内部の熱によってとかされ，「マグマ」として存在している領域があります。**地表に近いところにできた「マグマだまり」によってつくられる地形が「火山」です。**

火山の形は，マグマの粘り気によって決まります。粘り気の弱いマグマは，薄く広がって流れだすため，ゆるやかな傾斜をもつ「盾状火山」をつくります。一方，粘り気が強いマグマは火口近くにたまりやすいため，火口近くがもり上がった「成層火山」や「溶岩ドーム」をつくります。

マグマが冷えて固まった岩石を，「火成岩」といいます。火成岩には，「石英」や「黒雲母」など，多様な鉱物が含まれています。

火成岩のうち，地表や地表近くで急速に冷えてできるものを「火山岩」といい，地下でゆっくりと冷えてできるものを「深成岩」といいます。火山岩と深成岩には，構造に大きなちがいがみられます。

火山岩は，大きな鉱物と小さな鉱物が入りまじった「斑状組織」という構造になる一方，深成岩は，同じような大きさの鉱物が組み合わさった「等粒状組織」という構造になります。

さまざまな岩石

右下の図は，岩石がどこでどのようにして生まれるのかを示したものです。火山岩や深成岩のほかにも，風化や侵食によって細かな粒となった地表の岩石や，生物の遺骸などが水底に堆積して，「堆積岩」がつくられます。岩石が地下で熱や圧力による変成作用を受け，固体のまま性質が変化したものは「変成岩」に分類されます。

高い温度のマグマによってできる水晶(石英)

変成岩ができたときの温度や圧力の条件は，鉱物の組み合わせによって，特定することができます。水晶(石英)やひすい輝石が存在している場所は，圧力の高い条件で変成作用を受けたことがわかります。

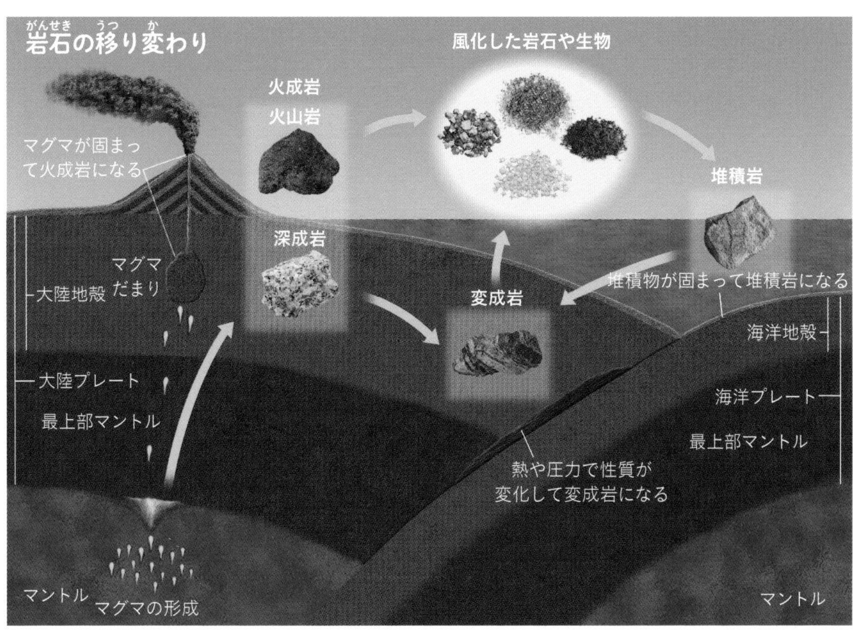

時代ごとにことなる粒子が重なって「地層」となる

伊豆大島にある地層切断面

伊豆大島の南西部では，地上24メートル，長さ630メートルのダイナミックな地層の断面が見られます。この地層は火山灰が同じ厚さで堆積することによって生みだされました。軽石と同様の多孔質でありながら暗い色のスコリア※，火山灰，風化火山灰または腐植土が積み重なっており，約1万5000年間もの長い時間をかけて堆積したと考えられています。

※：噴火により火口から噴出された溶岩流を除く噴出物の中で，多孔質で淡色のものを軽石，暗色のものをスコリアという。

地表の岩石は，太陽の熱や光，雨水による化学反応などによって，ぼろぼろになっていきます（風化）。風化によってもろくなった岩石は，降雨や河川，氷河などの作用を受けてけずられます（侵食）。

風化や侵食によって石は「砕屑物」に種類を変え，標高の低いほうへ流れだします（運搬）。やがて傾斜がゆるやかになると，移動が止まり，その場にたまりはじめます（堆積）。**海底や湖底に流れこんだ砕屑物は，時代ごとにことなる砕屑粒子として積み重なり，「地層」をつくります。**

砕屑物が海底や湖底に堆積しつづけると，続成作用によってすき間がなくなり，固まった「堆積岩」になります。堆積岩には，「礫岩」「砂岩」「泥岩」「凝灰岩」「石灰岩」「チャート」「岩塩」などの種類があります。大地の隆起や気候変動などによって，堆積岩の種類は変化します。**そのため地層の調査は，当時の環境を知るための手がかりになります。**

およそ27億年前，地球にシアノバクテリアが大発生！

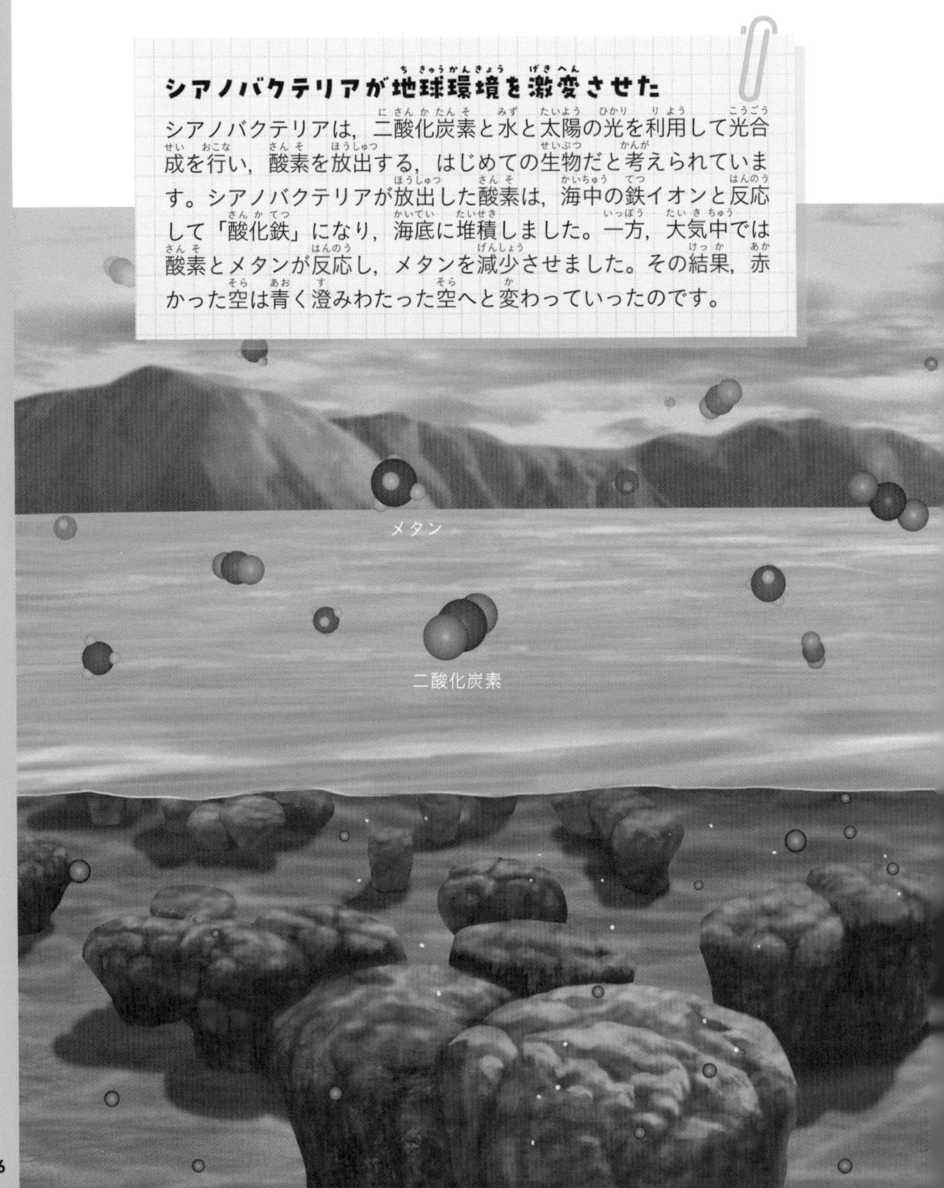

シアノバクテリアが地球環境を激変させた

シアノバクテリアは，二酸化炭素と水と太陽の光を利用して光合成を行い，酸素を放出する，はじめての生物だと考えられています。シアノバクテリアが放出した酸素は，海中の鉄イオンと反応して「酸化鉄」になり，海底に堆積しました。一方，大気中では酸素とメタンが反応し，メタンを減少させました。その結果，赤かった空は青く澄みわたった空へと変わっていったのです。

27億年前ごろの地球には，現在の地球からは想像できないような風景が広がっていました。**空は赤みがかっており，遠くのほうはかすんでいます。そしてその空の色を映す海もまた，赤みがかっていました。**

このころ，地球の大気には酸素がほとんどないかわりに，二酸化炭素やメタンなどの温室効果ガスが豊富にありました。また，メタンの化学反応でできる微粒子が，大気中に大量に存在していたと考えられています。空が赤っぽくかすんでいたのはそのためだったのです。一方，海には鉄イオンが豊富にとけていました。

当時の地球には，二酸化炭素やメタンなどの温室効果ガスが豊富にあったため，温暖な環境が維持されていました。**このため，酸素を必要としない，単細胞の「原核生物」たちが生息していました。そして27億年前ごろまでに，「シアノバクテリア」とよばれる原核生物が大発生しました。**

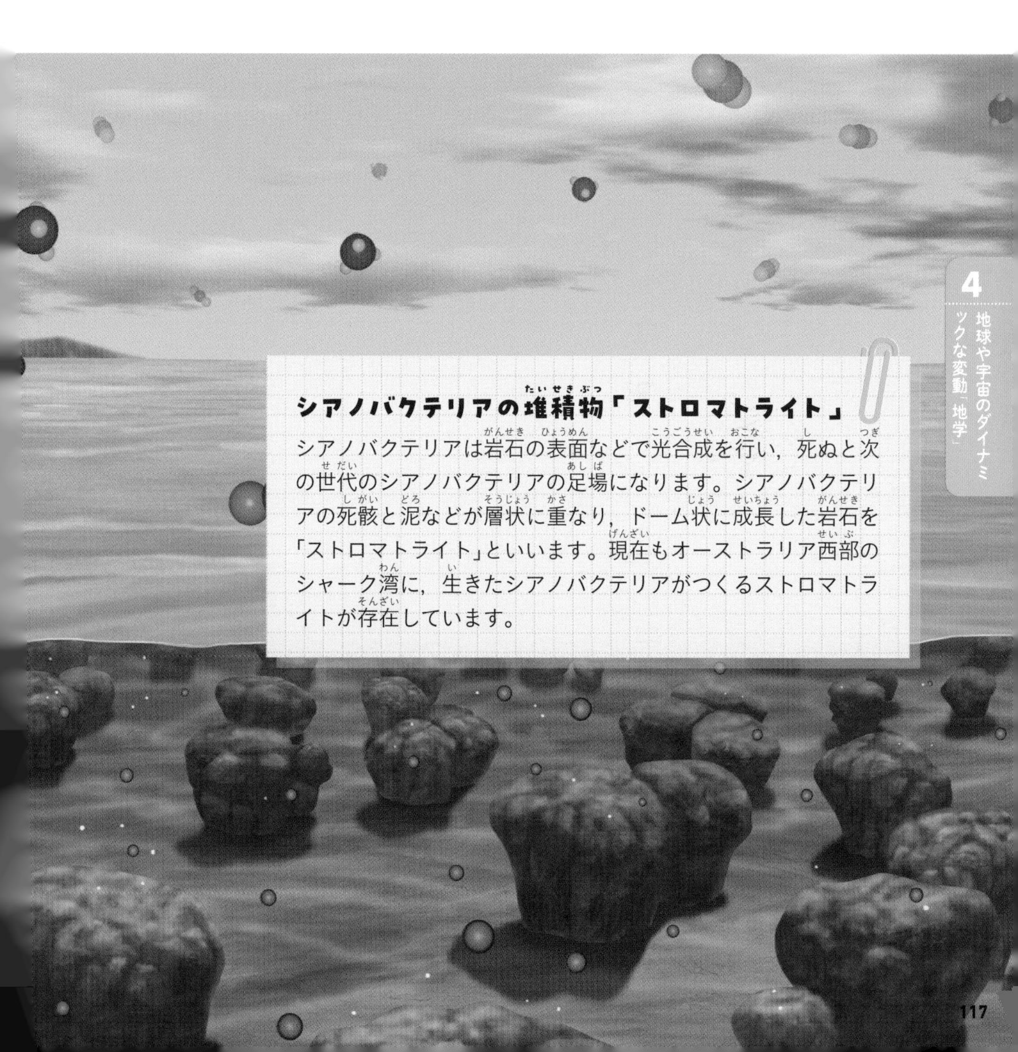

シアノバクテリアの堆積物「ストロマトライト」

シアノバクテリアは岩石の表面などで光合成を行い，死ぬと次の世代のシアノバクテリアの足場になります。シアノバクテリアの死骸と泥などが層状に重なり，ドーム状に成長した岩石を「ストロマトライト」といいます。現在もオーストラリア西部のシャーク湾に，生きたシアノバクテリアがつくるストロマトライトが存在しています。

中生代に恐竜が誕生。そして哺乳類の時代がはじまる

哺乳類の進化と人類の誕生

隕石の落下による大量絶滅を乗りこえた哺乳類は，かつて恐竜が生息していた場所や食物を獲得することで，一気に多様化していきました。人類は700万年ほど前にアフリカで誕生し，霊長類の一員として進化を重ねていきます。そして，7万～5万年前ごろから，アフリカを出て，世界中へ進出していったと考えられています。

地球に大きな生物があらわれたのは，今からおよそ5億年前のカンブリア紀（古生代初期）です。**この時代には「カンブリア爆発」とよばれるほど，多様な生物が出現しました**。それまでの地球は，30億年以上にわたって，主に原核生物（バクテリアなどの細菌類）だけが生息する世界だったのです。

古生代も半ばを過ぎてデボン紀（4億年前ごろ）になると，魚類が大繁栄し，その中から両生類に進化するものがあらわれ，陸上へと進出していきました。

2億4000万年前ごろの三畳紀（中生代）には恐竜があらわれ，地球の生物界に君臨する存在となりました。しかし，約6600万年前，地球に巨大隕石が落下したことによる環境の激変などによって，恐竜は絶滅したと考えられています。

恐竜がいなくなった世界で台頭したのが，私たちの祖先である哺乳類です。

蒸発した海の水が，陸の雨になる

大気の運動の原動力は，太陽の光です。太陽の光は地表や海面，空気をあたためます。あたためられた空気は軽くなり，上昇気流となって地上に低圧部（低気圧）をつくります。一方，上空で冷やされた空気は下降気流となり，地上に高圧部（高気圧）をつくります。**地表近くの空気は，気圧の高いところから低いところへと流れます。これが「風」です。**

海があたためられると，海水が蒸発して，大気中にたくさんの水蒸気が供給されます。湿った空気は，風で陸上へと運ばれることがあり，上昇気流に乗ると上空へ運ばれます。空気が上空で冷やされると，「飽和水蒸気量」（空気中に存在できる最大の水蒸気量）が低下し，飽和水蒸気量をこえた水蒸気が無数の細かな水滴に変わります。これが「雲」です。

雲の粒は，周囲の水蒸気を集めたり粒どうしでくっついたりして，だんだん大きくなります。そして，上昇気流で浮いていられなくなると，「雨」となって地上に降りそそぐのです。

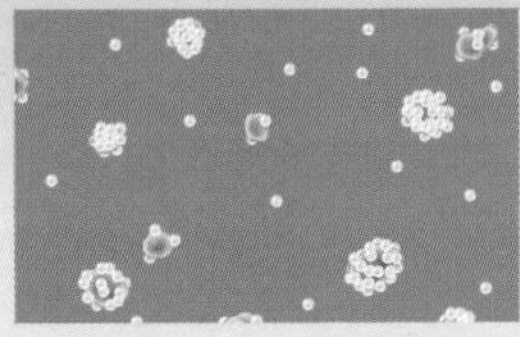

空気が冷やされ，大気中のちりを核にして水蒸気が凝結する（水滴になる）ことで雲の粒となります。

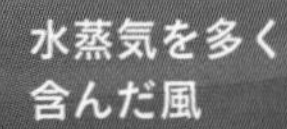

海があたためられ水蒸気が発生する。

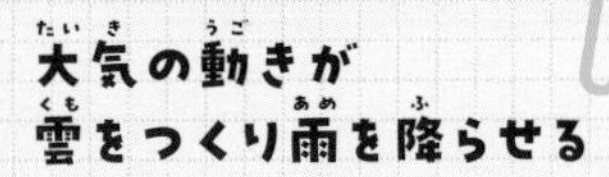

大気の動きが雲をつくり雨を降らせる

海水が蒸発して生じた水蒸気が風で運ばれ，陸上で雨になるまでのようすをえがきました。

高高度の雲の粒は氷になっていることもある。

雨として落下しはじめる

だんだん大きくなる雲の粒

雲の粒は，たがいにぶつかることでしだいに大きくなっていき，やがて重くなって落下します。これが雨となって地上に降りそそぐのです。

分裂する雨粒

内陸からの風

上昇気流

別の方向からやってくる風とぶつかったり，日射によって地面が強くあたためられたりすることで，上昇気流が生じます。

地球は，太陽から放射エネルギーを受けている

温暖化により絶滅が危惧される動物

氷の上でアザラシなどをとらえるホッキョクグマは，海が氷でおおわれていることが生存のための必須条件です。近年の気温上昇によって，海氷が小さくなっていることから，ホッキョクグマが泳いで移動する距離がのび，おぼれて死んでしまう事例も報告されています。氷が縮小する速度によっては，ホッキョクグマは100年以内に絶滅するとも考えられています。

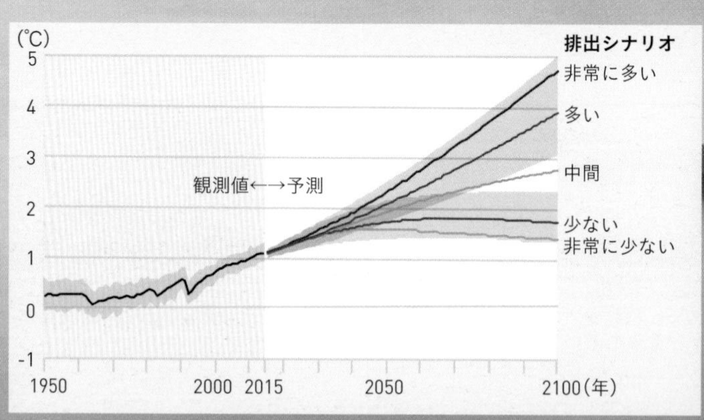

今後の気温上昇予測

五つの温室効果ガス排出シナリオ（非常に多い・多い・中間・少ない・非常に少ない）にもとづく，今後の世界平均気温の変化を予測したグラフ。

参考文献：IPCC 第6次評価報告書

太陽が放出するエネルギーを「太陽放射」といいます。地球に届く太陽放射の約50%は陸や海に到達して地表をあたため，約20%は大気が吸収し，約30%は雲や地表で反射されて宇宙空間にもどります。

平均的な地表の気温は15℃程度に維持されています。これは地球が，エネルギーを赤外線として，宇宙空間に放射しているからです。**これを，地表からの「赤外放射」といいます。**

赤外放射の一部は，大気中の水蒸気や二酸化炭素などの「温室効果ガス」に吸収され，ふたたび地表をあたためます。**これを，「温室効果」とよびます。**温室効果がないと，地球の平均気温は，急激に低下します。

地球の平均気温は，年々上昇しています。これを，「地球温暖化」といいます。18世紀なかばの産業革命以降，化石燃料が大量に消費されるようになり，大気中の二酸化炭素の濃度が急激に上昇したことが，地球温暖化の原因と考えられています。

「太陽系」は，地球を含む八つの惑星をもつ

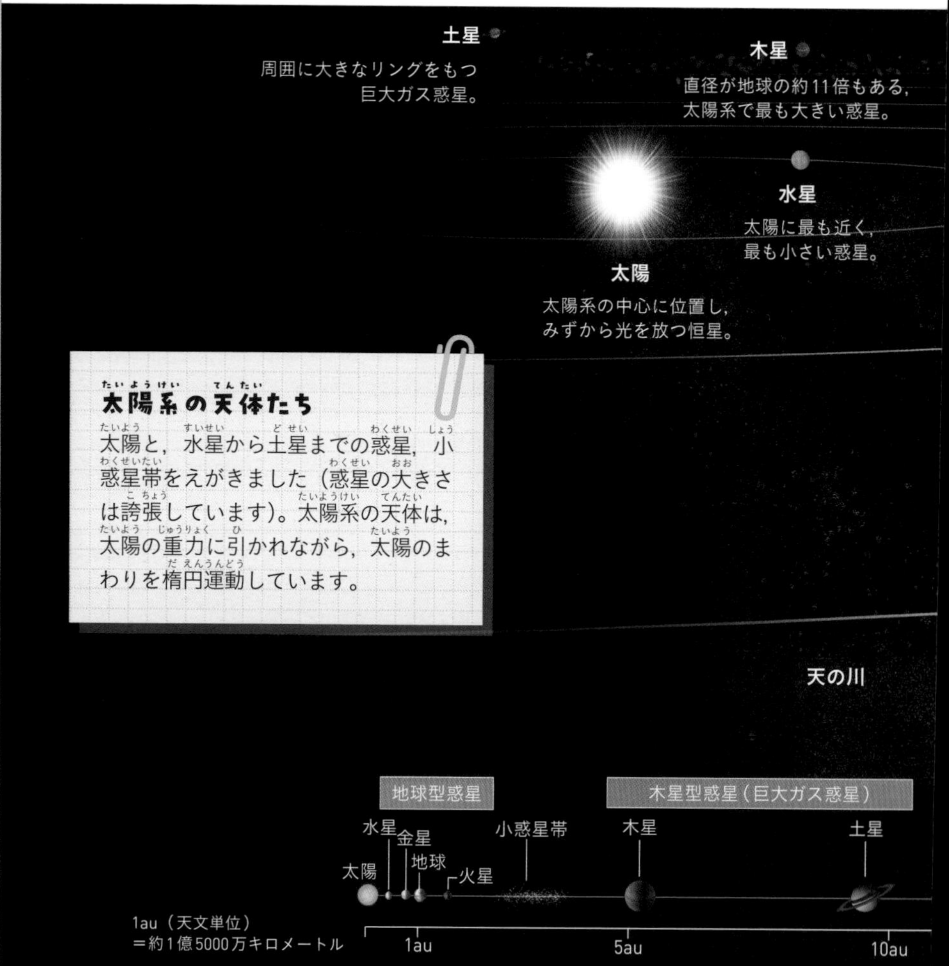

土星

周囲に大きなリングをもつ巨大ガス惑星。

木星

直径が地球の約11倍もある，太陽系で最も大きい惑星。

水星

太陽に最も近く，最も小さい惑星。

太陽

太陽系の中心に位置し，みずから光を放つ恒星。

天の川

太陽系の天体たち

太陽と，水星から土星までの惑星，小惑星帯をえがきました（惑星の大きさは誇張しています）。太陽系の天体は，太陽の重力に引かれながら，太陽のまわりを楕円運動しています。

地球型惑星

木星型惑星（巨大ガス惑星）

太陽　水星　金星　地球　火星　小惑星帯　木星　土星

1au（天文単位）
＝約1億5000万キロメートル

1au　5au　10au

太陽系の天体は，約46億年前に太陽が誕生するのとほぼ同時に，ガスやちりの集まりからつくられたと考えられています。

水星・金星・地球・火星は，中心に鉄などの金属の核をもつ「岩石惑星（地球型惑星）」です。木星と土星は，大量の水素やヘリウムのガスをまとった「巨大ガス惑星（木星型惑星）」で，天王星と海王星は「巨大氷惑星（天王星型惑星）」です。

太陽に比較的近い場所では，ちり（固体成分）からできたいくつかの原始惑星が衝突・合体して，岩石惑星となりました。

一方，太陽から遠い場所では，原始太陽系円盤内の水が氷となって原始惑星に集まり，大きく成長しました。その原始惑星が，円盤内の大量のガスを重力で引き寄せて，巨大ガス惑星となりました。さらに遠い場所では，原始惑星が多くのガスをまとう前に円盤のガスが消失し，氷惑星が誕生したのです。

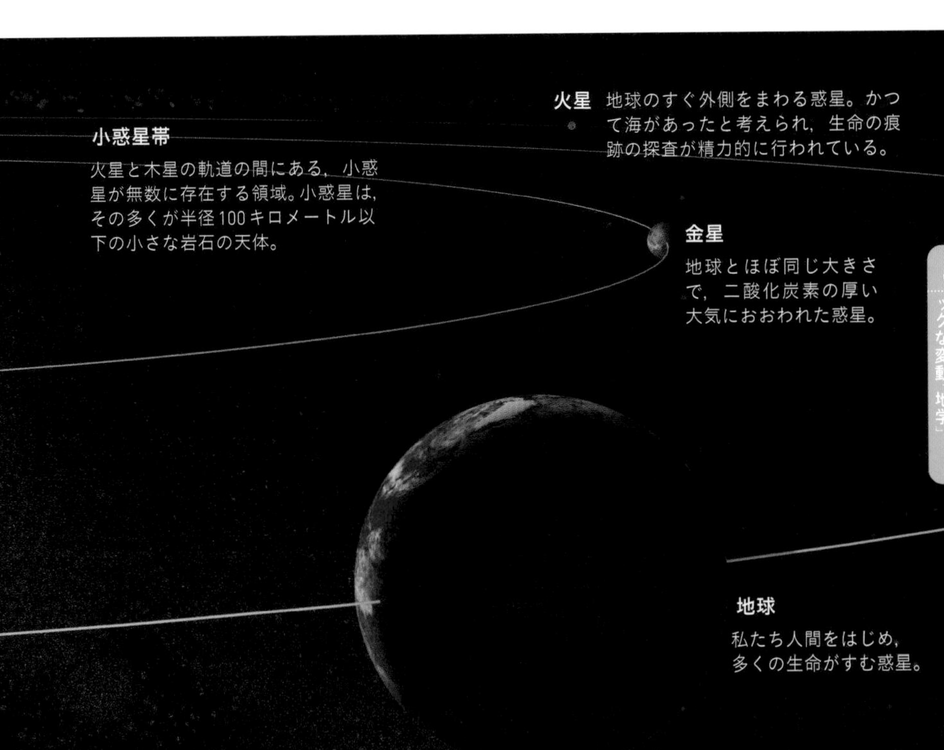

コーヒーブレイク
COFFEE BREAK

月の誕生が地球の運命を変えた

月ができた説として有力視されているのが，「ジャイアント・インパクト説（巨大衝突説）」です。この説によると，約45億年前，火星ほどの大きさの原始惑星が原始地球に衝突し，大量の物質が地球の周囲の宇宙空間にばらまかれました。その物質の一部はかたまりになり，地球のまわりをまわりはじめました。このかたまりが月になったというのです。

この偶然のできごとは，地球の運命を大きく変えました。ジャイアント・インパクト説によると，このとき地球の水蒸気は，大半が飛び散ったといいます。現在の地球の水は，このあとに衝突した多数の隕石に含まれていた水だと考えられています。

もしジャイアント・インパクトがなかったら，水が多すぎて地球の陸地はすべて水没したままになり，陸上生命は誕生しなかったかもしれないのです。

また，もし月ができなかったら，地球の1日はもっと短かったかもしれません。このころ，地球の1日は5時間しかありませんでした。地球の1日は，月と地球の間の重力（潮汐力※）の作用によって，少しずつ長くなっていき，現在の24時間になったのです。

ジャイアント・インパクト

ジャイアント・インパクト説では，地球と火星サイズの天体の衝突によって物質がばらまかれ，その一部が月になったと考えられています。月の岩石の成分と地球の岩石の成分は，よく似ていることがわかっていますが，ジャイアント・インパクト説は，その理由をうまく説明することができます。

※：重力によっておこる二次的効果の一種で，海の潮の満ち引きの原因。地球は主に月と太陽から潮汐力を受ける。

宇宙は，およそ138億年前に誕生した

宇宙の誕生以降，無数の恒星や銀河がつくられてきた

下の図は，宇宙が誕生後に膨張をつづけるとともに，多数の銀河が成長してきたようすを示しています。私たちの太陽系は，無数の銀河のうちの一つである「天の川銀河」(右ページ)に属しています。天の川銀河は直径約10万光年の円盤状の構造をした，無数の恒星の集団です。私たちの太陽系は，天の川銀河の中心から約2万6000光年はなれた場所にあります。

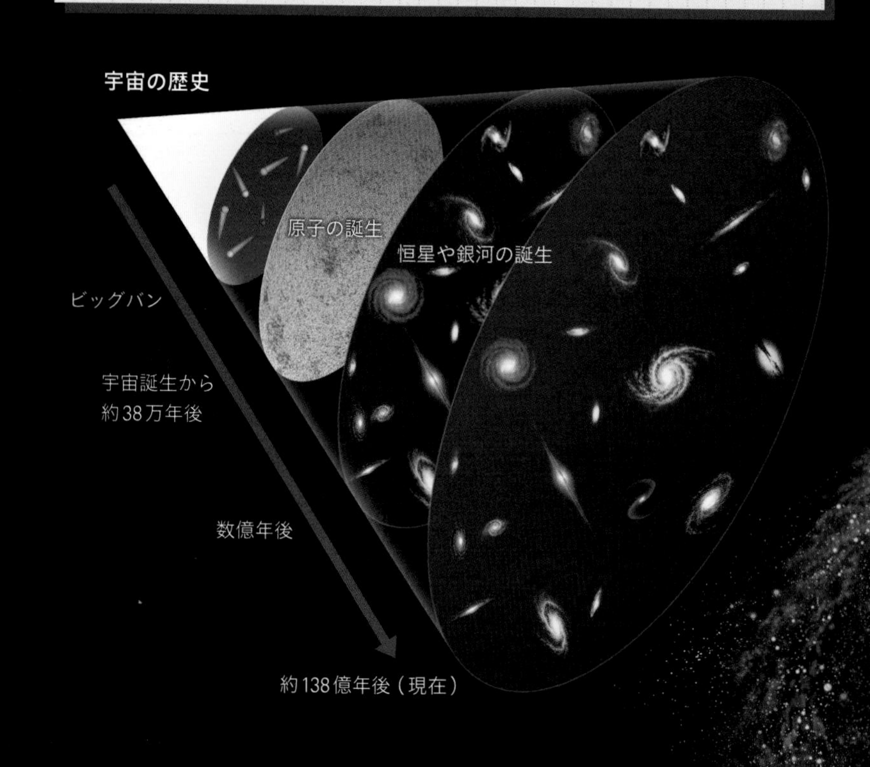

宇宙の誕生は，およそ138億年前と考えられています。誕生直後に急激に膨張した宇宙は，さまざまな素粒子がばらばらに飛びかう超高温・超高密度の“火の玉”状態でした。その後，温度が下がるとともに，ばらばらに飛びかっていた素粒子たちがまとまり，最終的に原子（ほとんどが水素）が誕生しました。

原子ができたことで，光は自由に飛べるようになり，遠くまで見わたせるようになりました。これを「宇宙の晴れ上がり」とよびます。水素原子の集積密度の高いところでは，水素分子のガスができました。数億年後，水素ガスの集団から，ついに最初の恒星※が誕生したと考えられています。**続々と誕生する恒星の集団は「銀河」となり，銀河どうしが衝突合体をくりかえすことで，銀河はさらに大きく成長していったのです。**

「天の川銀河（銀河系）」もそうして生まれました。天の川銀河の恒星の多くは円盤状に分布していますが，この円盤の直径は，およそ10万光年と見積もられています。

※：太陽のようにみずからのエネルギーで光輝く星。

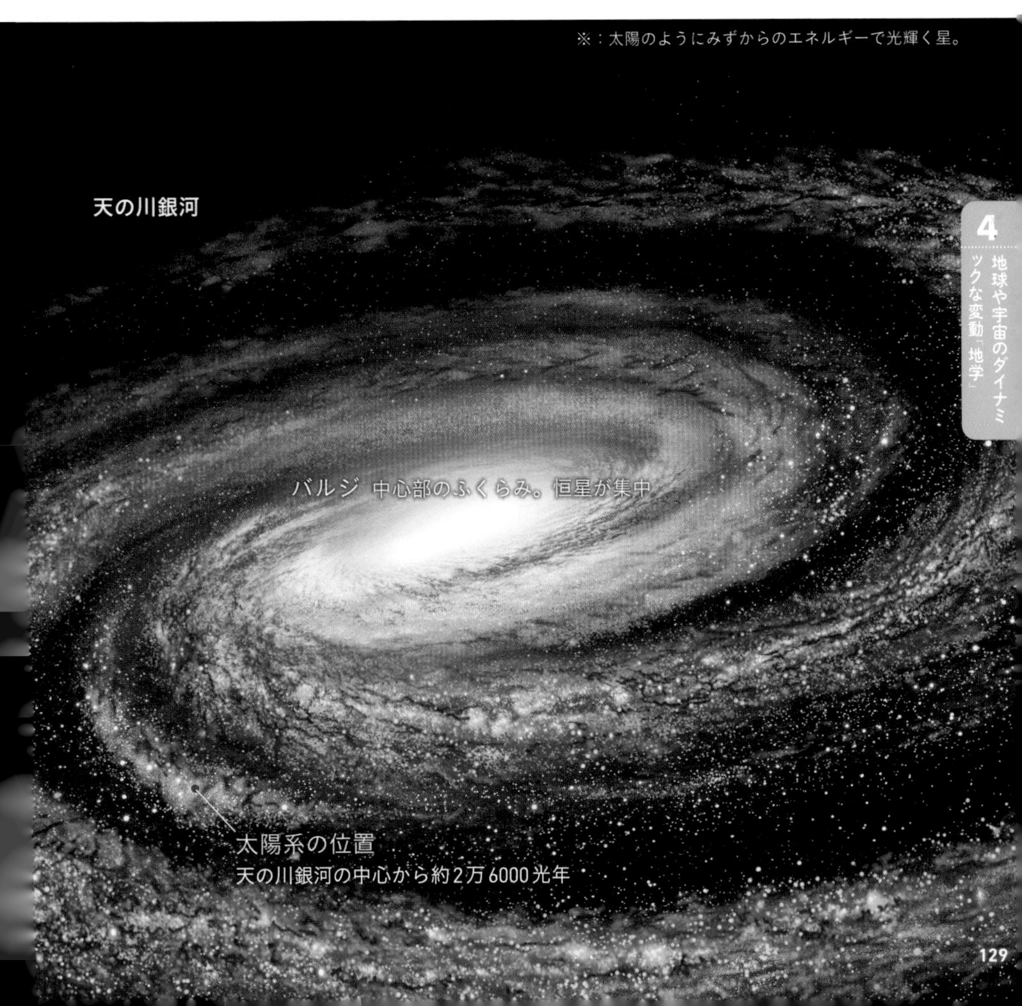

太陽の中では核融合反応がおきている

プロミネンス
彩層から噴き上がる大規模なガスの炎。

太陽は，「彩層」という薄いガスの層をまとっています。彩層の外側には，平均的な温度が約200万K（絶対温度※1）にも達する「コロナ」という希薄な大気の層があります。コロナの大気は，原子が原子核と電子に分かれた「プラズマ」という状態です。太陽の引力をふりきって外に飛びだしたプラズマの流れを，「太陽風」といいます。

太陽が大きな熱と光を放つことができるのは，太陽の中心核で，太陽の質量の70％を占める水素の「核融合反応」がおきているためです。

核融合反応とは，別々の原子核が融合して，新しい原子核と膨大なエネルギーを生む反応です。太陽では，プラズマ化した水素の原子核が4個融合してヘリウムの原子核が1個生まれる核融合反応がくりかえされ，その際に失われる0.7パーセントの質量が，太陽の膨大なエネルギー源になっているのです。

※1：分子や原子は－273.15℃で運動をほぼ停止する。その温度を絶対零度（0K）という。

注：太陽は本来，あざやかな白色をしているが，本書では一般的な表現である赤や黄色のイラストを使用している。

水素の核融合反応で輝く太陽

太陽の内部構造。超高温・超高圧の中心部では，太陽の主成分である水素の原子核が核融合反応をおこします。このときに膨大なエネルギーが放出され，熱と光が生じるのです。

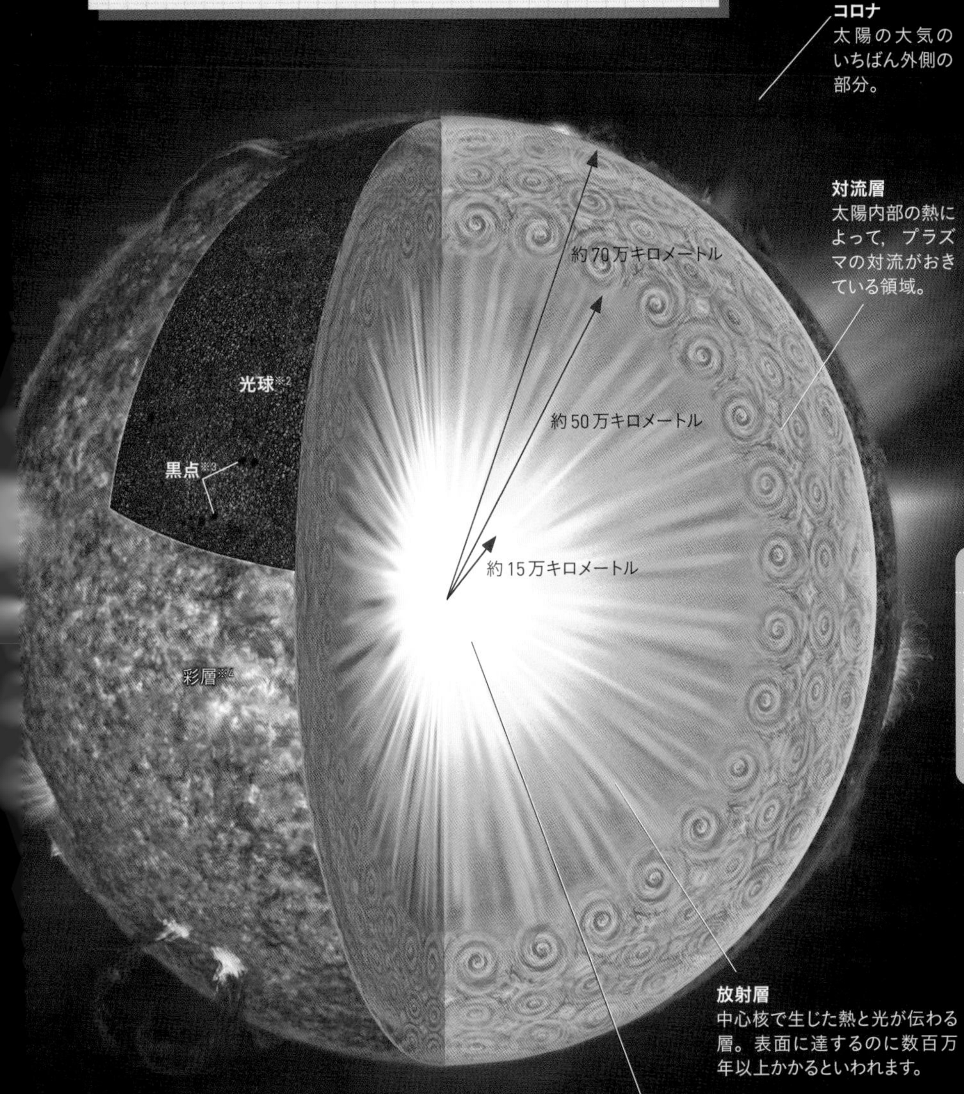

コロナ
太陽の大気のいちばん外側の部分。

対流層
太陽内部の熱によって，プラズマの対流がおきている領域。

約70万キロメートル

約50万キロメートル

約15万キロメートル

光球※2

黒点※3

彩層※4

放射層
中心核で生じた熱と光が伝わる層。表面に達するのに数百万年以上かかるといわれます。

中心核
太陽の中心部。水素原子が核融合をおこし，膨大な熱と光を生成します。

※2：太陽の表層。中心核でつくられた熱は，可視光などの電磁波として外に放出される。これが私たちの見る太陽光である。
※3：光球にあらわれる黒い点状の部分。周囲より温度が低いため，黒く見える。
※4：光球のさらに外側の層。

光り輝く恒星も，やがて“死”をむかえる

太陽の８倍以下の質量をもつ恒星の最期

核融合反応の材料である水素を燃焼しつくしてしまうと，中心のヘリウムの芯が収縮していくのに対して，星の外層はどんどん膨張していきます。このように収縮する力と膨張する力のバランスがくずれ，膨張をはじめた恒星を「赤色巨星」といいます。赤色巨星では，重力の弱い表面から大量のガスが流れだして宇宙空間にとけこんでいき，惑星状星雲を形成しますが，外層のガスをすべて失うと，収縮した中心部が白色矮星として残ります。

恒星

赤色巨星

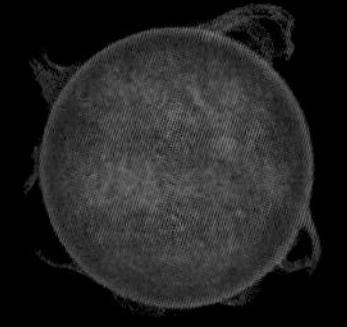

恒星が晩年にふくれ上がったもの。

外層のガスが放出される。

恒星は，水素やヘリウムなどのガスや氷などのちりが，高密度で集まった場所（星間雲）で誕生します。やがて，みずからの重力で収縮しはじめ，内部で核融合反応がはじまり，強い光を放つ恒星となるのです。**安定して輝いている状態の恒星を「主系列星」とよび，この状態で最も長く過ごすことになります。**

しかし，恒星は，核融合反応の材料を消費しつくすと，みずからの質量の大きさに応じた“死”をむかえます。**質量が大きければ大きいほど，核融合反応の材料の消費が早く，寿命が短いこともわかっています。**

質量が太陽の約8倍以下の恒星は「白色矮星」に，約8～30倍の恒星は「超新星爆発」をおこして「中性子星」に，そして約30倍以上の恒星は超新星爆発をおこしてブラックホールになります。太陽は今から約60億年後に，「赤色巨星」を経て白色矮星になり，輝きを失うと考えられています。

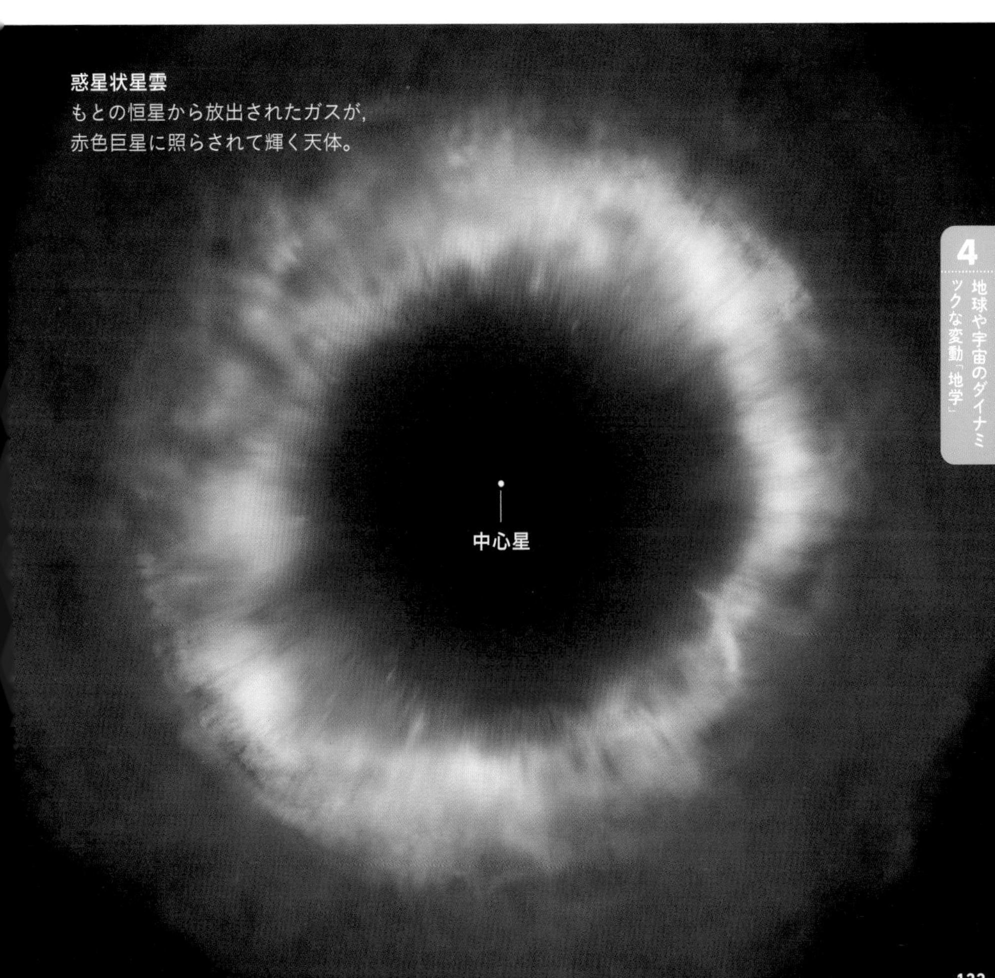

惑星状星雲
もとの恒星から放出されたガスが，赤色巨星に照らされて輝く天体。

太陽系が属する天の川銀河と、その外側の宇宙

天の川銀河は，数千億もの恒星が渦巻き状に集まってできており，「渦巻銀河」に分類されます。中央のふくらんだところはバルジとよばれます。太陽系は天の川銀河の中心から約2万6000光年の距離にあり，2億年程度かけて天の川銀河をまわっています。

天の川銀河から約250万光年の距離に，「アンドロメダ銀河」があります。二つの銀河を含む銀河群を，「局部銀河群」といいます。銀河の集団のうち，数個から数十個の銀河の集まりを「銀河群」，数十個から数千個程度の銀河の集まりを「銀河団」，さらに大きな規模の銀河の集まりは，「超銀河団」とよばれます。

太陽から10億光年もはなれると，1000～2000もの銀河が集まる超銀河団がたくさん発見されます。宇宙には，それらが多く集まっている領域とあまり見当たらない領域とが網目状に分布しています。**これを「宇宙の大規模構造」といいます。**

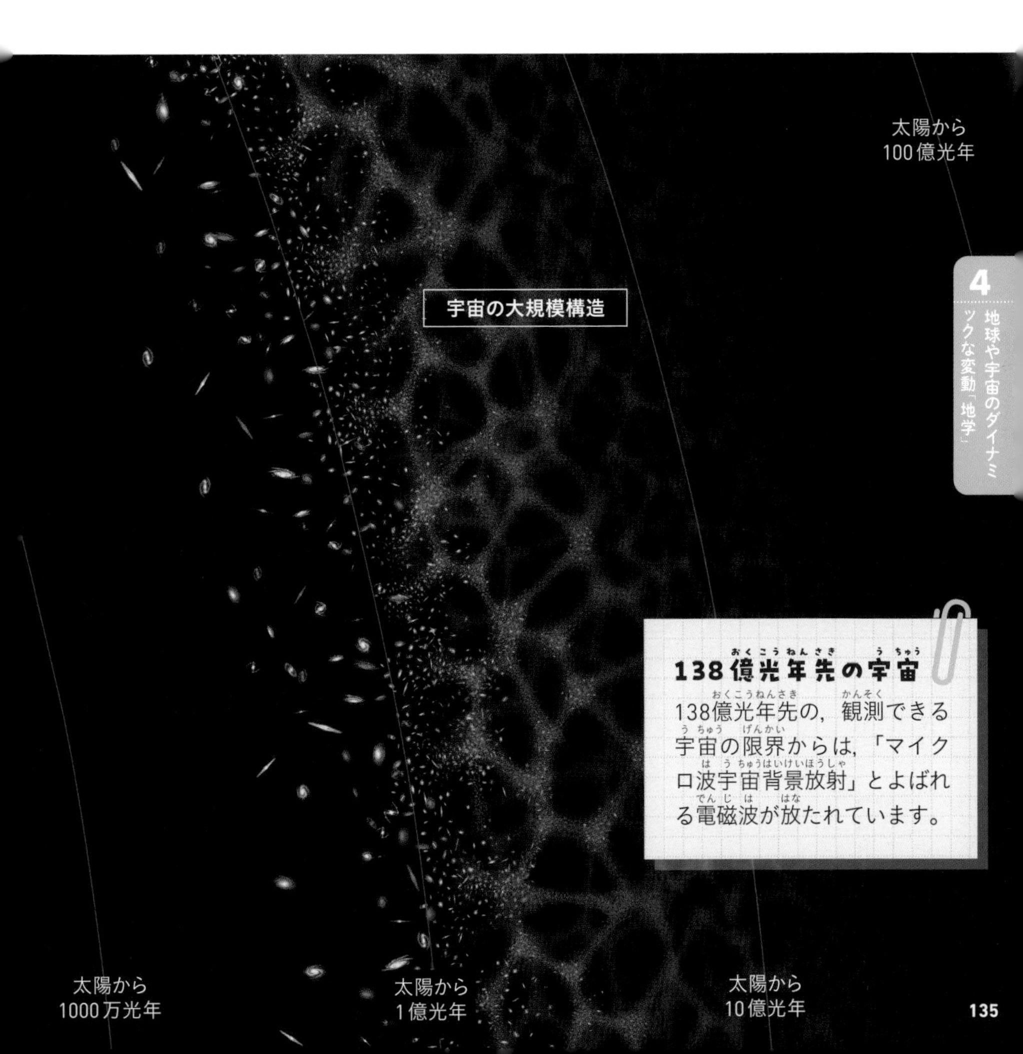

138億光年先の宇宙

138億光年先の，観測できる宇宙の限界からは，「マイクロ波宇宙背景放射」とよばれる電磁波が放たれています。

コーヒーブレイク
COFFEE BREAK

理科の知識を総動員して「地球外生命体」を探査

生命が存在する可能性がある天体として，最も身近なのが火星です。生命の誕生には液体の水が必要だと考えられていますが，火星では，液体の水によってつくられたと考えられる扇状地などの地形や氷が発見されており，かつて海があったことが推定されます。

太陽系の外にある天体に対しても，宇宙望遠鏡を利用した地球外生命体の探査がさかんに行われています。地球外生命体をさがすためには，まず地球とよく似た環境の星をさがすことがいちばんの近道だと考えられます。系外惑星探査は，そういった研究に対しても重要な意味をもつのです。そして，そこで大活躍しているのが宇宙望遠鏡なのです。

スピッツァー宇宙望遠鏡（2003～2020）やケプラー宇宙望遠鏡（2009～2018），ジェームズ・ウェッブ宇宙望遠鏡（2021～）。これらはすべてNASAが中心となって打ち上げたものですが，その活躍もあって2023年11月現在5518個の系外惑星が発見されています。これらの中には，母天体の恒星からの距離が適当で，ハビタブル・ゾーン（水が液体で存在できる領域）にある惑星も発見されています。**そこが生命が存在できる環境なのかを調べるために，生物，化学，物理，地学などのさまざまな知識が結集されています。**

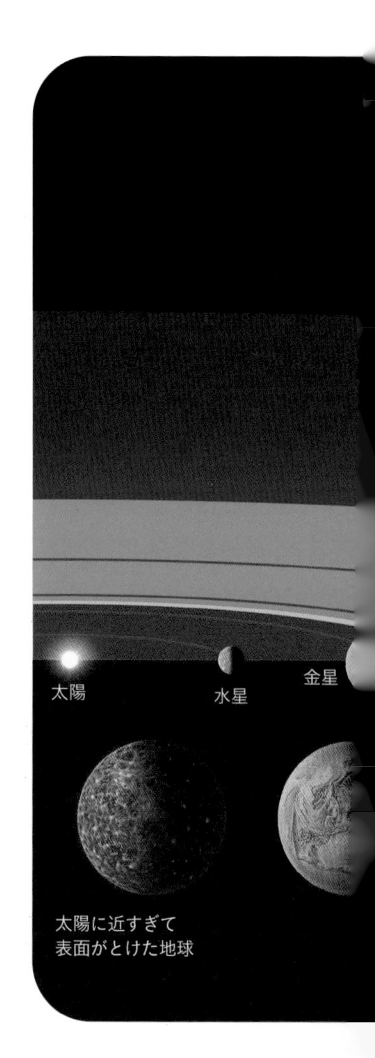

太陽に近すぎて
表面がとけた地球

太陽系のハビタブル・ゾーンは火星の先まで？

太陽系のハビタブル・ゾーンを，惑星が公転している円盤の面に色をつけて示しました。内側の赤い部分は，太陽に近すぎて液体の水が存在できない領域です。この範囲にある惑星では，金星のように液体の水はすべて蒸発し，やがて大気も失われます。その外側の黄緑色の部分は，惑星に温室効果がはたらかなくても液体の水が存在できる温度となる領域です。この黄緑色の部分と，その外側の水色の部分がハビタブル・ゾーンです。

恒星の明るさや，年齢によっても変化

中心にある恒星の明るさしだいでハビタブル・ゾーンの範囲は変化します。明るい恒星では外側に，暗い恒星では内側に移り，また，同じ恒星であっても，時間の経過とともにハビタブル・ゾーンの範囲が変化することが知られています。太陽はだんだんと明るくなっており（46億年前は現在の70％の明るさでした），それにつれてハビタブル・ゾーンも徐々に外側に移動しています。15億～25億年後には，ハビタブル・ゾーンは地球の外側に移動すると考えられています。

地球

火星

太陽からの距離による地球の変化

液体の水が存在する地球

表面が凍りついた地球

液体の水がすべて蒸発した地球

用語集

DNA（deoxyribonucleic acid）

日本語での表記は「デオキシリボ核酸」。細胞の核の中に存在し，その生物の遺伝子を構成するタンパク質の情報が書きこまれた，“設計図”のような物質。A（アデニン），T（チミン），G（グアニン），C（シトシン）という4種類の「塩基」の配列で記録されており，必ず「AとT」「GとC」が「塩基対」というペアをつくる。ヒトのDNAは約32億塩基対におよび，この全塩基対の順番（塩基配列）の情報を「ゲノム」という。

RNA（ribonucleic acid）

DNAとよく似た構造の「リボ核酸」。RNAはいくつかの役割に分かれ，mRNA（メッセンジャーRNA）は，DNAのもつ遺伝情報をコピーして細胞核の外にもち出し，細胞にタンパク質をつくらせる。tRNA（トランスファーRNA）は，タンパク質の材料であるアミノ酸を，タンパク質の合成工場である「リボソーム」に運ぶ役割をになう。

イオン

原子が電子を得たり失ったりして，プラスやマイナスの電気（電荷）をもつようになった粒子のこと。正の電気を帯びたものを「陽イオン」，負の電気を帯びたものを「陰イオン」という。

エネルギー

物体などがもっている，「仕事をする能力」の総称。エネルギーにはさまざまな形態があり，ある形態から別の形態へと変換されることもある。

化学反応

原子どうしが，電子をやりとりしたり，共有したりすることで結びつくこと。

原子，元素

あらゆる物質の構成要素を「原子」という。原子は「原子核」と「電子」からなり，原子核は「陽子」と「中性子」からなる。原子の種類をあらわす名前のことを「元素」という。

抗体

病気の原因となるウイルスや細菌などの異物（抗原という）が体内に侵入したとき，免疫細胞の一つであるB細胞が分泌し，抗原と結合するタンパク質のこと。「免疫グロブリン」ともよばれる。一つの抗体は，一つの抗原としか結合しない。

質量

物体の重さのもとになる量。重さは重力の影響を受けるが，質量は重力によって変わらない。

周期表

元素を原子番号順に並べた表。縦の列（族）には，性質のよく似た元素どうしが並ぶ。

磁力，磁場

磁石がまわりの磁石や鉄と引き合ったり，反発し合ったりする力を「磁力」という。磁力を生みだす空間の性質を「磁場」といい，磁石のまわりには，N極からS極の向きに磁場が生じている。

絶対温度

正式には熱力学温度とよばれる。単位記号はKで，「セルシウス温度＋273.15」であらわされる。0K（マイナス273.15℃）では，原子や分子の熱運動がほぼ停止する。

セントラルドグマ

タンパク質をつくる遺伝情報が，DNA→RNA→タンパク質へと一方向に伝えられる原理。すべての生物で共通する，生命の基本原理。

電解質，非電解質

水などの液体にとかしたとき，イオンになる物質を「電解質」という。逆に，液体にとかしてもイオンにならない物質を「非電解質」という。

電子

原子の構成要素の一つ。原子核のまわりに分布し，マイナスの電気をおびている。一つの原子に含まれる電子と陽子の数は等しい。

電磁波

電場（電気をおびた物体が電気的な力を受ける空間）と磁場が相互に作用し，振動しながら空間を伝わる波の総称。波長の短いほうからガンマ線，X線，紫外線，可視光，赤外線，電波と分類される。

波長

音波や電磁波などの波の，山から山まで（くりかえしの1単位分）の距離。波の性質を決定する重要な要素。

万有引力

二つの物体がたがいに引き合う力を「引力」といい，質量をもつすべての物体の間にはたらく引力を「万有引力」という。二つの物体の間にはたらく万有引力は，二つの物体の質量の積に比例し，物体間の距離の2乗に反比例する（万有引力の法則）。万有引力と重力は，天文学では同じ意味とされるが，地球科学では区別して使うこともある。

ファン・デル・ワールス力

原子，イオン，分子の間にはたらく力の一種。瞬間的な電気の偏りで発生すると考えられている。

プレート

地球の表面をおおう，十数枚の板状のかたい岩盤のこと。マントル最上部と地殻からなり，その厚さは海洋域で30 ～ 90キロメートル，大陸域では100キロメートルほどとされている。

ポリマー（高分子）

小さな分子（モノマー）が数万～数十万個つなぎ合わさってできる，長い鎖状の分子。「ポリ」には「多数」という意味がある。ペットボトルに使われるポリエチレンテレフタラートや，合成繊維のナイロンなどがある。

マグマ

地下に存在するとけた岩石のこと。主にマントルをつくる岩石が部分的にとけ，液体になることで生じる。

モル

原子や分子の個数を一つ一つ数えることは難しいため，モル（mol）という単位を使う。原子や分子6.02×10^{23}個を1モルとする。溶質の濃度をモルであらわしたものを「モル濃度」という。

有機物，無機物

一般に，炭素を含む化合物を「有機物」，炭素以外の元素で構成される化合物を「無機物」という。なお，一酸化炭素，二酸化炭素，炭酸カルシウムなどの簡単な炭素化合物は，「無機物」に分類される。

溶媒，溶質

ある物質をとかす液体を「溶媒」，溶媒にとけている物質を「溶質」という。たとえば，食塩水の溶媒は「水」，溶質は「食塩」。

葉緑体

植物の細胞に含まれる，光合成の現場となる細胞小器官。葉緑体の中には「チコライド」とよばれる構造があり，この表面が光を浴びると，二酸化炭素と水から糖と酸素が合成される。

卵生，胎生

動物の有性生殖において，卵の状態で体外に産卵され，卵にたくわえられた栄養に頼って孵化まで発育することを「卵生」という。一方，受精卵が母胎内で発育し，胎児がある程度発育してから産みだされることを「胎生」という。

ローレンツ力

電気をおびた粒子が磁場の中を運動すると，粒子は，磁場の向きと粒子の運動の向きの両方に垂直な方向に力を受ける。この力を「ローレンツ力」という。なお，左手の中指，人さし指，親指をそれぞれ直角にまじわるようにのばした場合，それぞれの指の向きが電流，磁場，力の向きをあらわす。これが「フレミングの左手の法則」である。

おわりに

これで『まるごと理科』はおわりです。いかがでしたか。

中学・高校で学習する「生物」「化学」「物理」「地学」を，各分野ごとにみてきました。分野をまたがる応用例や，科学にまつわる雑学なども紹介しましたので，読み物としても楽しんでいただけたのではないでしょうか。

私たちの日常には，「理科」があふれています。日当たりのいい場所で植物がスクスク育つのも，塩が水にとけるのも，吸盤が壁に張りつくのも，地震や火山が発生するのも，理科の知識で説明できます。人類が理科の知識をもたなければ，今のような文明も発展しなかったことでしょう。

物事を証拠にもとづいて正しく判断できる力が，「科学リテラシー」です。その基礎となる知識は，中学・高校の理科に凝縮されているのです。

この本で，科学の面白さを再認識していただけたら，とてもうれしく思います。

物理

化学

生物

地学

子供から大人まで
楽しめる
奥深き算数の世界

さまざまな計算のルール,
図形や単位,割合なども
基礎からばっちり!

項目ごとに復習できる
「練習問題」も用意

——目次(抜粋)——

【まずはおさらい「整数の計算」】くり上がりが一目でわかる「さくらんぼ計算」／かけ算は，桁ごとに計算して足し合わせる／+，−，×，÷がまじった計算のルール 【意味の理解がポイント「小数と分数の計算」】小数の足し算・引き算では，小数点をそろえる／分数の足し算・引き算は，分母をそろえて計算する／小数と分数のまじった式の計算方法は?【あらゆるカタチの基本「図形」】三角形の面積の求め方／円の面積が半径×半径×円周率の理由／直方体や立方体の「見取図」と「展開図」 【身近で便利な道具「単位」】「長さ」は，単位があるから数字であらわせる／「面積」と「体積」にも基準となる単位がある／「速さ」「道のり」「時間」の関係式 【つまずきやすい「割合」と「比」】割合とは「くらべられる量」÷「もとにする量」の値／割合は，簡単な「比」であらわせる／「比例」と「反比例」をグラフにあらわすと 【社会人にも必須スキル「データの見方・活用」】グラフを使うと，データの割合が一目でわかる／「平均値」「最頻値」「中央値」はデータの傾向を知る“目印” ／5人から2人を選ぶときの並べ方は何通り? ほか

Staff

Editorial Management	中村真哉	Design Format	村岡志津加（Studio Zucca）
Cover Design	秋廣翔子	Editorial Staff	上月隆志，佐藤貴美子，谷合 稔

Photograph

8-9	【背景】Pablo Lagarto/stock.adobe.com，【新型コロナウイルス】Siarhei/stock.adobe.com
9	【ジェームズ・ウエッブ宇宙望遠鏡】Nasa/Chris Gunn，【プラスチックごみ】marina_larina/stock.adobe.com，【局地的大雨】naka/stock.adobe.com
12	【ゾウガメ】Grispb/stock.adobe.com
12-13	【海の生態系】whitcomberd/stock.adobe.com
13	【発芽】singkaham/stock.adobe.com，【猫】seregraff/stock.adobe.com【森林】SB/stock.adobe.com
21	【mRNA ワクチンの構造】アフロ
31	【鳥類】Sander Meertins/stock.adobe.com，【両生類】TPG/stock.adobe.com，【哺乳類】karinrin/stock.adobe.com，【爬虫類】Yoshie Nagoya/stock.adobe.com，【魚類】Marina/stock.adobe.com，【節足動物】kelly marken/stock.adobe.com，【軟体動物】aerial-drone/stock.adobe.com
44	【蒸気】nikkytok/stock.adobe.com，【化学発光】raimund14/stock.adobe.com
44-45	【分子構造】artegorov3@gmail/stock.adobe.com
45	【金属】Bildwerk/stock.adobe.com，【有機化合物】Africa Studio/stock.adobe.com，【プラスチック】photka/stock.adobe.com
62	Hanasaki/stock.adobe.com
63	Björn Wylezich/stock.adobe.com，Tsuboya/stock.adobe.com
72	【ベリリウム】RED POINT 唐澤光也 /Newton Press・撮影協力：株式会社高純度化学研究所（埼玉県坂戸市）
73	【ジェームズ・ウェッブ望遠鏡】NASA/MSFC/DavidHigginbotham
76	【ビリヤード】meerisusi/stock.adobe.com
76-77	【黒板】adam121/stock.adobe.com
77	【電気ケーブル】sveta/stock.adobe.com
105	量子科学技術研究開発機構　量子医科学研究所
106-107	Nido Huebl/stock.adobe.com
108	【地球内部】Johan Swanepoel/stock.adobe.com，【火山】Tanguy de Saint Cyr/stock.adobe.com
108-109	【地球と宇宙】janez volmajer/stock.adobe.com
109	【大気と海洋】Iakov Kalinin/stock.adobe.com，【銀河】hosiya/stock.adobe.com
111	Nido Huebl/stock.adobe.com
113	【水晶】Martinan/stock.adobe.com
114-115	show999/stock.adobe.com
122-123	Jan Will/stock.adobe.com

Illustration

表紙カバー	Newton Press
表紙	Newton Press
10-11	黒田清桐，Newton Press
11	【細胞】Newton Press
12	【細胞】Newton Press
14-15	黒田清桐，Newton Press
16 〜 19	Newton Press
21	【RNA ワクチンのしくみ】Newton Press
22-23	Newton Press
25	Newton Press
27	Newton Press
28-29	黒田清桐，Newton Press
30	Newton Press
32-33	黒田清桐
35 〜 36	Newton Press
37	黒田清桐
38-39	月本事務所（AD：月本佳代美，3D 監修：田内かほり）
40-41	Newton Press
42-43	Newton Press
43	Newton Press（credit ①）
46 〜 49	Newton Press
50	浅野 仁
51	Newton Press（credit ①）
52 〜 63	Newton Press
65	Newton Press（分子モデル：PDB ID CIT，credit ①）
66-67	Newton Press（credit ①）
68-69	Newton Press
70-71	Newton Press（分子イラスト：本間善夫）
72	【周期表】Newton Press
74-75	Newton Press
75	【吸盤】吉原成行
77	【原子】Newton Press
78 〜 85	Newton Press
86-87	富崎 NORI
88-89	吉原成行
91 〜 97	Newton Press
99 〜 101	Newton Press
103	Newton Press
107	【太陽】Newton Press
110	Newton Press
113	Newton Press
116-117	Newton Press
118-119	木下 亮
120-121	Newton Press
122	Newton Press（グラフ：IPCC 第 6 次評価報告書第 1 作業部会報告 SPM-29）
124-125	Newton Press
127 〜 137	Newton Press
141	Newton Press
credit ①	ePMV（Johnson, G.T. and Autin, L.,Goodsell, D.S., Sanner, M.F., Olson,A.J.（2011）. ePMV Embeds Molecular Modeling into Professional Animation Software Environments. Structure 19,293-303）

本書は主に，Newton2020年11月号『まるごと中高理科』，ニュートン式超図解 最強に面白い!!『理科』の一部記事を抜粋し，大幅に加筆・再編集したものです。

監修者略歴：

縣 秀彦／あがた・ひでひこ
国立天文台准教授。総合研究大学院大学先端学術院天文科学コース准教授。東京学芸大学大学院教育学研究科理科教育専攻修了。専門は，科学教育，理科教育，天文教育，科学コミュニケーションなど。日本文化に適応した科学コミュニケーションの研究などに取り組む。

超絵解本

身のまわりの現象がわかる! 手軽に学びなおしもできる!

生物、化学、物理、地学 まるごと理科

2024年3月1日発行

発行人　高森康雄
編集人　中村真哉
発行所　株式会社 ニュートンプレス
〒112-0012東京都文京区大塚3-11-6
https://www.newtonpress.co.jp
電話 03-5940-2451

ISBN978-4-315-52785-8